Laisse tomber,
il te mérite pas

Greg Behrendt
& Liz Tuccillo

Laisse tomber, il te mérite pas

Toute la vérité sur les hommes

Traduit de l'anglais (États-Unis)
par Madeleine Nasalik

Albin Michel

Édition originale :
HE'S JUST NOT THAT INTO YOU

Publié en accord avec Simon Spotlight Entertainment,
division de Simon and Schuster's Children Publishing.

Ce livre est dédié
à toutes les femmes merveilleuses de notre connaissance,
dont les histoires nous ont incités à prendre la plume.
Souhaitons n'avoir jamais à en écrire un autre.

Note au lecteur

Les histoires que vous vous apprêtez à lire sont des exemples utilisés à titre d'illustration, sans rapport avec des événements ou des personnes spécifiques. Quoi qu'en disent les mauvais esprits, il ne s'agit pas de ridiculiser publiquement nos amis, nos ennemis ou nos ex.
(Toutefois, nous n'allons pas prétendre que nous n'y avons pas pensé.)

Greg et Liz

Introduction signée Liz

Cette journée avait débuté comme tant d'autres. Dans la pièce réservée aux scénaristes de **Sex and the City**, nous sommes en plein travail, nous discutons, échangeons des idées, mêlons nos propres histoires de cœur aux vies fictionnelles créées ensemble. Et, comme tant d'autres jours, une des scénaristes sollicite notre opinion sur le comportement d'un type qu'elle aime bien. Il lui envoie des messages contradictoires – et elle est perdue. Nous nous attelons à la tâche avec joie en décortiquant ses faits et gestes à la recherche d'indices, de pistes. Et, comme tant d'autres jours, après une analyse et un débat en profondeur, nous arrivons à la conclusion qu'elle est fabuleuse, qu'il doit avoir peur car il n'a jamais rencontré de créature aussi merveilleuse qu'elle, qu'il est intimidé et qu'elle doit simplement lui laisser le temps.

Mais, ce jour-là, nous avons un homme avec nous – un consultant qui nous rend visite une ou deux fois par semaine pour faire part de ses impressions sur les scénarios et apporter un point de vue masculin bienvenu : Greg Behrendt. Et, ce jour-là, Greg suit avec attention le débat puis notre verdict, avant de lancer à la jeune femme concernée : « Écoute, on dirait qu'il ne tient pas vraiment à toi. »

Réaction générale : choc, effroi, amusement, horreur et, par-dessus tout, curiosité. Nous sentons illico que Greg dit la vérité. Une vérité que nous, malgré nos cent années d'éducation sentimentale cumulées, n'avions jamais envisagée, et encore moins envisagé d'exprimer à voix haute. « Ok, Greg a peut-être raison pour ce cas-là, concédons-nous à contrecœur, mais il ne peut quand même pas décoder mon futur mari potentiel qui, **lui**, est très occupé et très compliqué. » Alors, nous faisons un tour de table ; Greg, Bouddha omniscient, est attentif à notre enfilade d'histoires confuses. Nous trouvons des excuses pour ces hommes que chacun connaît, allant des doigts cassés aux enfances difficiles. L'une après l'autre, Greg les transperce de sa puissante balle d'argent. Il nous oblige à des efforts herculéens pour ouvrir les yeux sur cette évidence : si un homme (sain d'esprit) tient vraiment à une fille, rien ne peut l'arrêter. Et s'il est idiot, en vaut-il la peine ? Sans compter que Greg a de quoi confirmer ses arguments : il a pour lui une longue expérience sur le terrain, à jouer tantôt au vilain garçon, tantôt au gentil, avant de finir par tomber amoureux et d'épouser une femme fantastique.

La révélation s'abat sur nous, et notamment sur moi. Moi qui me plaignais à longueur d'année des hommes et de leurs contradictions, je comprends qu'il ne s'agissait pas de contradictions du tout. C'était moi qui me voilais la face. En fait, ces hommes n'étaient pas amoureux de moi, tout bonnement.

A première vue, on pourrait penser que cela nous aurait démoralisées, voire carrément découragées. Bien au contraire. Savoir égale pouvoir et, plus important encore, savoir égale économie de temps. Je prends conscience qu'à partir de ce jour je vais m'épargner des heures entières autrefois passées à attendre près du téléphone, ou à discutailler avec mes copines et à espérer que des messages embrouillés signifient vraiment : « Je t'aime et je veux être avec toi ». Greg nous a rappelé que nous étions belles, intelligentes, drôles, et que nous ne devrions pas perdre notre temps à nous demander pourquoi un tel ne nous rappelait pas. Comme le dit Greg, nous devrions apprendre à faire le tri. Dur, dur. On nous a inculquer qu'il faut voir le bon côté des choses, qu'il faut nous montrer optimistes. Pas dans ce cas. Gardez le mauvais côté à l'esprit. Pensez d'abord rejet. Dites-vous que vous êtes la règle, pas l'exception. C'est merveilleusement libérateur, mais nous savons aussi que c'est difficile à accepter. Voilà comment nous fonctionnons : nous sortons avec un homme, nous nous enthousiasmons, puis il fait quelque chose qui nous déçoit un peu ; le type en question ne s'arrête pas en si bon chemin et nous déçoit de plus en plus. C'est là que nous nous mettons en mode « hyper-excuses » pour plusieurs semaines, et même plusieurs mois, parce que pour rien au monde nous ne voudrions voir cet homme merveilleux qui nous emballe tant devenir peu à peu un sale type. Nous tentons bien de trouver une explication à son comportement – tout semble bon, peu importe le ridicule –, alors que la seule valable est la vérité : il n'est pas amoureux.

Voilà pourquoi, dans ce livre, nous avons inclus des questions de femmes tirées de situations réelles. Elles représentent les excuses les plus couramment utilisées, celles qui nous coincent dans des relations malsaines. Lisez, amusez-vous et, espérons-le, tirez une leçon des ennuis des autres. Et surtout, si le type que vous fréquentez vous semble un tantinet distant, ou si vous ressentez soudain le besoin de le « cerner », dites-vous d'abord qu'il n'est peut-être pas vraiment amoureux. Puis brisez vos chaînes et partez à la recherche de celui qui le sera pour de bon.

Introduction signée Greg

Je suis assis dans le QG des scénaristes de **Sex and the City**, méditant sur la bonne étoile qui m'a parachuté, seul homme hétéro, au cœur d'une équipe à forte prédominance féminine (en fait, je me borne à manger un cookie), lorsque toutes se mettent à parler des hommes qu'elles fréquentent. Cela arrive souvent et fait partie du processus d'écriture pour une série qui explore les relations amoureuses. Ces échanges ne cessent de me fasciner. J'ai l'air de me moquer, mais je suis sincère.

Donc, ce jour-là, une des demoiselles prend la parole : « Greg, tu es un homme » (très observatrice celle-là, je suis un homme, en effet), elle poursuit :

« Je fréquente quelqu'un... enfin, je crois. (Je sais déjà ce que je vais lui répondre.) Tu vois, on est allés au cinéma et c'était super. Il ne m'a pas pris la main, mais ça ne me gêne pas. Je déteste ça. (Ma réponse ne change pas d'un poil.) Après il m'a embrassée sur le parking. Je lui ai demandé s'il voulait venir chez moi, seulement il avait une réunion super-importante le lendemain matin et a décliné l'invitation. »

Bon, allez, c'est une blague ? Fastoche !

Je demande alors : « Il t'a appelée ?

– Justement, voilà le problème. Ça s'est passé il y a une semaine (là, vous devriez toutes avoir la réponse) et aujourd'hui il m'envoie un mail et fait l'étonné en me demandant pourquoi je le laisse en plan. »

Je la fixe un bon moment de mon regard particulièrement éloquent (ah, les filles, ce que vous pouvez m'énerver parfois !). Voilà une jeune femme belle, bourrée de talent, ultra-intelligente, scénariste d'une série à succès – série connue pour ses observations incisives sur les hommes – dont on penserait qu'aucun mec ou presque ne saurait lui résister. Cette superstar ne comprend pas une situation qui est à mes yeux claire comme de l'eau de roche. En fait, « comprend » n'est pas le terme exact, car elle est très futée. Le problème, c'est qu'elle déborde d'espoir. Mais sa situation est justement sans espoir et je lui annonce la nouvelle : « Écoute, on dirait qu'il ne tient pas vraiment à toi. »

Laissez-moi vous dire que c'est une bonne nouvelle, car passer du temps avec la mauvaise personne revient ni plus ni moins à perdre son temps. Et une fois qu'on est passé à autre chose, qu'on a trouvé la perle rare, croyez-moi, aucun risque de regretter de n'avoir pas consacré davantage d'heures à Gros Nul le Poseur de Lapins ou à Freddy le Handicapé du Téléphone.

Je ne suis pas médecin, ni dans la réalité ni en imagination. Mais mon avis devrait faire autorité pour une excellente raison : je suis un homme – un homme qui a eu sa part d'aventures, et qui est disposé à avouer ses forfaits. Parce que je suis un homme, je n'ignore rien des pensées, des sentiments et des actes des hommes : il est de ma responsabilité de vous révéler qui nous sommes vraiment. J'en ai assez de voir des femmes formidables enlisées dans des relations de merde.

Lorsqu'un type est amoureux de vous, il vous le fait savoir. Il appelle, il se pointe à l'heure, il veut rencontrer vos amis, il vous dévore des yeux ou des mains, et quand vient le moment des câlins, il se montre plus que ravi de rendre service. Même s'il doit prendre ses nouvelles fonctions de président des États-Unis le lendemain à quatre heures du mat', il débarque à la seconde !

Nous ne sommes pas compliqués, même si nous aimerions vous persuader du contraire : « J'ai des journées de dingue en ce moment, je suis dedans jusqu'au cou. » Nous ne pensons qu'au sexe, même si nous aimerions vous faire croire que ce n'est pas vrai : « Quoi ? Non, je t'écoutais, je t'assure. » En plus, entre nous faire décapiter en nous penchant par la fenêtre du bus et vous dire franchement : « Tu n'es pas la bonne », nous n'hésitons pas, hélas. Ça ne rate jamais : vous allez nous tuer, vous tuer, peut-être les deux – ou pire encore, pleurer et hurler. Mais nous sommes pathétiques : nous nous taisons, et nous agissons d'une manière aussi claire que constante. Si un type ne vous appelle pas alors qu'il vous a promis un coup de fil, s'il ne vous indique pas de mille façons que c'est sérieux, vous avez la réponse à votre question. Cessez d'inventer des excuses, ses actes hurlent la vérité : il n'est pas amoureux, c'est tout.

Bouge-toi, ma sœur ! Sauve les meubles et ne perds pas de temps. A quoi bon végéter dans les limbes de l'incertitude quand tu peux trouver un territoire sans doute plus accueillant ? Tu ne veux pas en entendre parler ? A ta guise. Voici la réponse que tu attends : « Accroche-toi, chérie. Il n'est pas aussi nul qu'on le raconte en ville. Si tu te montres patiente, si tu la boucles, si tu l'appelles pile au bon moment, si tu anticipes ses sautes d'humeur, si tu enterres tes exigences en matière d'échanges ou de sexualité, ça peut marcher ! » Mais, je t'en prie, ne t'étonne pas s'il te quitte ou s'il t'entraîne dans une relation frustrante.

Nous l'avons entendu, vous en avez marre. C'est sûrement le motif pour lequel vous avez ce livre entre les mains. Vous savez que vous méritez une histoire d'amour renversante. Nous sommes d'accord là-dessus. Alors, attrapez un surligneur et lancez-vous. Liz vous a prévenues : apprenez à faire le tri !

Vous fréquentez toutes le même type

Eh, je le connais, ce type !

Si, sans rire. C'est lui qui rentre tellement crevé du travail, tellement stressé par son nouveau projet. Lui qui vient de vivre une rupture éprouvante et qui en bave. Le divorce de ses parents l'a traumatisé, il a du mal à accorder sa confiance. Il doit se concentrer sur sa carrière. Il refuse de s'engager tant qu'il ne sait pas quoi faire de sa vie. Il s'est acheté un appart' et le déménagement, c'est l'enfer. Dès que ça se calme, il quitte sa femme, sa copine, son boulot de merde. Bon sang, il est si compliqué.

Ce type est forgé de toutes pièces par vos justifications. A l'instant même où vous vous ferez une raison, il disparaîtra complètement de votre vie.

Existe-t-il des hommes occupés, des hommes marqués par un événement horrible au point d'avoir des difficultés à s'engager ? Oui, mais ils sont rarissimes. Car, comme nous l'avons dit, un homme préférerait être piétiné par des éléphants plutôt que de reconnaître son indifférence. Liz et moi n'avons pas écrit ce livre par hasard. Nous voulons sortir les excuses du placard, pour ainsi dire, et révéler la vérité : ce sont de mauvaises excuses.

Vous vous souvenez de ce film ? Celui où l'héroïne attend que le héros lui propose un rencard – en vain –, et qui lui concocte alors des alibis ? Ils se retrouvent au lit après une soirée bien arrosée, sortent plus ou moins ensemble avant de se fréquenter, enfin, si on veut. Il la trompe, mais elle sait en son for intérieur que si elle lui pardonne, revoit ses exigences à la baisse et consent à tout, elle finira par l'avoir. Il se pointe ivre au mariage et ils vivent malheureux pour toujours grâce à leur relation désastreuse édifiée sur des bases bancales. Ça ne vous rappelle rien ? C'est parce que ces films ne sont jamais tournés, parce que l'amour ne ressemble pas à ça.

Les gens accomplissent des prouesses pour trouver leur grand amour et vivre à ses côtés. Des super-

productions sont réalisées sur ce thème, tous les couples que vous admirez dégagent une aura dont vous rêvez. Sachez-le : plus l'estime de soi est solide, plus les chances de succès augmentent.
Lisez donc toutes ces excuses, marrez-vous puis... débarrassez-vous de ce fatras. Vous valez mieux que ça.

1

Il te mérite pas s'il ne te propose pas de sortir avec lui

Car si tu lui plais, fais-moi confiance, il ne se gênera pas

De nombreuses femmes m'ont déclaré : « Greg, les hommes sont les maîtres du monde ! » Wouaou ! On aurait donc une réputation de dégourdis. Dans ce cas, expliquez-moi pourquoi vous semblez nous juger incapables d'une chose aussi simple que décrocher le téléphone et vous proposer un rendez-vous. D'après vous, nous serions parfois « trop timides », « pas encore prêts ». Laissez-moi vous dire ceci : rien ne satisfait plus un homme qu'obtenir ce qu'il veut (en particulier après avoir passé une journée épuisante de maître du monde). Il vous veut, il vous trouvera. Si vous pensez ne pas lui avoir laissé le temps de vous remarquer, prenez le temps

qu'il vous a fallu pour le remarquer, lui, et divisez-le par deux.
Vous vous apprêtez à faire une expérience révolutionnaire : lire ce livre. Nous avons compilé les anecdotes entendues et les questions posées en une présentation simple, question-réponse. Avec de la chance, vous lirez ce qui suit et devinerez de quoi il s'agit : d'excuses élaborées par des femmes en plein désarroi. A l'intention des moins chanceuses, nous avons inclus des titres qui serviront d'indices.

L'excuse « Il a peut-être peur de détruire notre amitié »

Cher Greg,
Je suis très déçue. J'ai un ami que je connais — platoniquement, s'entend — depuis environ dix ans. Nous vivons dans des villes différentes. Il y a peu, son travail l'a amené dans ma région et nous avons dîné ensemble. On aurait cru un rendez-vous galant. Mon ami flirtait outrageusement ; il m'a même dit en me toisant : « Alors tu joues la carte

mannequin maintenant ? » (C'est du flirt, pas vrai ?) Nous nous sommes mis d'accord pour nous revoir bientôt. Eh bien, Greg, je suis déçue car cela fait deux semaines et il ne m'a pas rappelée. Et si je prenais les devants ? Passer de l'amitié à l'amour le rend peut-être nerveux. Je ne pourrais pas lui donner un petit coup de coude ? C'est bien à ça que servent les amis, non ?

Jodi

DU BUREAU DE GREG

Chère Bonne Copine,

Deux semaines, c'est deux semaines, sauf dans dix ans et deux semaines. Durant cette période il a décidé si oui ou non il voulait fréquenter un mannequin, ou une fille qui en a l'allure. Tu veux être sympa et lui filer un coup de coude ? Vas-y, vieille branche - mais admire la vitesse à laquelle...
il ne répondra pas à ta pichenette. Et si le dîner/rendez-vous lui a semblé différent aussi, deux semaines se sont écoulées,

`il a eu le temps de réfléchir et de décréter qu'il n'est pas vraiment fou de toi. La vérité ? Les hommes se moquent de gâcher une amitié si cela peut finir sous la couette, que ce soit pour une histoire d'amour sérieuse ou un « coup vite fait ». Trouve-toi un type avec qui tu partages le même code postal et qui sera ébranlé jusqu'à la moelle par ta conversation et ton port de mannequin.`

Vous m'en voyez désolé, mais le baratin genre « Je ne veux pas gâcher notre amitié » est une arnaque qui fonctionne à merveille grâce à son apparente sagesse. Le sexe peut bien gâcher une amitié mais la malchance veut que, dans l'histoire de l'humanité, cette excuse n'ait jamais été employée par un homme qui le pensait vraiment. Lorsque la passion nous embrase, impossible de nous retenir : nous en voulons plus. Lorsqu'une copine nous attire, il ne nous suffit jamais d'en rester là. Et, s'il vous plaît, ne me sortez pas qu'il a « peur ». Ce qui lui fait peur – je vous le dis avec beaucoup, beaucoup d'amour –, c'est que vous ne l'attirez pas.

L'excuse « Peut-être que je l'intimide »

Cher Greg,

J'ai le béguin pour mon jardinier. Il rempotait les plantes sur mon patio, il faisait chaud, je l'ai vu torse nu, il était trop sexy et maintenant je veux être sa jardinière. J'ai apporté quelques bières, nous avons bavardé. Je pense qu'il a des vues sur moi mais que ça l'effraye, en tant qu'employé. Dans cette situation, penses-tu que je peux prendre les rênes ?

Cherie

DU BUREAU DE GREG

Chère Jardin Secret,
Il est capable de te proposer un rendez-vous. Tu n'as jamais vu de film porno ? J'espère qu'il ne se fera pas doubler par le livreur de pizzas. Bon, sérieusement, s'il est resté de marbre après le jardin à bière,

`cela n'a rien à voir avec ton statut`
`de grand chef. L'heure de la mauvaise`
`nouvelle a sonné : il n'est pas vraiment`
`attiré par toi.`

Je le répète, malgré la législation sur le harcèlement sexuel et les mémos internes, un homme ne se sentira pas dissuadé par la position hiérarchique d'une femme s'il en est fou. D'accord, il aura probablement besoin de quelques encouragements supplémentaires. Il vous faudra peut-être mettre Johnny le Garçon de Bureau ou Philippe l'Employé de la Désinfection sur la voie, mais pas question de leur mâcher le travail. Encore une fois, mesdemoiselles, un clin d'œil doublé d'un sourire fera l'affaire.
Au fait, pourquoi avoir jeté votre dévolu sur Monsieur Désinfectant ?
Je plaisante, c'est un mec super.

L'excuse « Il ne veut peut-être pas précipiter les choses »

Cher Greg,

Je connais un homme qui m'appelle sans arrêt. Il est fraîchement divorcé, inscrit aux Alcooliques Anonymes. Nous avons repris contact il y a peu, échangé de nombreux coups de fil, puis nous sommes sortis ensemble deux fois la même semaine et c'était très sympa. Pas de flirt ni de câlins, rien de tout ça, mais nous avons passé un bon moment. Depuis il me téléphone sans cesse ; malgré cela, il ne suggère jamais de nouveau rendez-vous. On dirait qu'il a pris peur. S'il voulait ne pas aller trop vite à cause de ses histoires de divorce, d'alcool et de nouvelle vie, je comprendrais. Il continue pourtant à m'entraîner dans de longues conversations à cœur ouvert. Que diable dois-je faire avec ce type ?

Jen

DU BUREAU DE GREG

Chère Confidences sur l'Oreiller,
Hélas, traîner des pieds pour te voir en personne constitue un obstacle ô combien colossal à votre relation. Quant aux passages sur le divorce, la sobriété, le début d'une vie nouvelle, blablabla, ça m'endort, il fait chaud, je vais piquer un roupillon. Une fois réveillé je serai sûrement ravi d'apprendre que ton ami prend enfin le contrôle de sa vie. Pour ta part, tu attendras toujours un rendez-vous en vain parce qu'en dépit de tes excuses il te propose toujours que dalle. Bon, si tu es du genre à aimer les contacts téléphoniques un peu frustrants, ne change rien ! Mais il semblerait pour l'instant qu'il ne soit pas vraiment fou de toi. Offre-lui ton amitié, à supposer que cela t'intéresse, et transfère tes aspirations romantiques sur un prétendant mieux disposé.

Lorsqu'un homme vous apprécie réellement mais est obligé, pour raisons personnelles, de prendre son temps, **il vous le fait savoir aussi sec.** Il ne vous laisse pas dans l'ignorance car il veut s'assurer que vous ne partirez pas, exaspérée d'attendre.

L'excuse « Mais il m'a donné son numéro »

Cher Greg,
Cette semaine, j'ai rencontré un garçon mignon comme tout dans un bar. Il m'a donné son numéro et m'a proposé de l'appeler un de ces quatre. J'ai trouvé ça plutôt cool, qu'il me laisse le contrôle de la situation de cette manière. Je peux l'appeler, dis ?

Lauren

DU BUREAU DE GREG

Chère Maniaque du Contrôle,
T'a-t-il laissé le contrôle de la situation, ou vient-il de se débarrasser du gros boulot ? Quel tour de passe-passe : tout indique qu'il t'a donné les commandes, mais

en réalité il se retrouve à décider s'il veut sortir avec toi - voire te rappeler - ou non. Prends donc le numéro de ce Copperfield de pacotille, et fais-le disparaître d'un coup de baguette magique.

« Appelle-moi », « Envoie-moi un mail », « Dis à Joey qu'on devrait boire un verre ensemble ». **Ne les laissez pas vous persuader de décrocher votre téléphone.** Si un type vous veut, qu'il retrousse ses manches. Cela peut paraître vieille école, j'en suis conscient, mais un homme amoureux d'une femme prend l'initiative.

L'excuse « Il a peut-être oublié de se souvenir de moi »

Cher Greg,
En assistant à une conférence professionnelle, j'ai rencontré un homme qui travaille dans une autre agence de ma société. Nous nous sommes tout de suite bien entendus. Il allait me

demander mon numéro, je le jure, quand est survenue la grande panne d'électricité de 2003. Dans le chaos qui a suivi, je n'ai pas pu le lui donner. Je trouve que la panne est un excellent prétexte pour l'appeler, pas toi ? La politesse la plus élémentaire veut que je prenne de ses nouvelles, non ? Si je ne lui téléphone pas, il risque d'avoir de la peine à l'idée que je ne suis pas vraiment attirée par lui.

Judy

DU BUREAU DE GREG

Chère Judy En Panne,
Les lumières se sont éteintes dans la ville, pas sous son crâne. Tu expliques que vous travaillez dans des agences différentes de la même société. A mon avis, il n'aurait aucun mal à trouver tes coordonnées en parcourant la liste des employés ou le répertoire interne. Et s'il se révélait moins débrouillard que toi... je suppose que sa mère, sa sœur ou une de ses amies sauraient lui montrer comment procéder - pour peu qu'il s'en préoccupe vraiment.

PS : Tu n'as pas honte d'invoquer un désastre survenu sur la côte Est pour contacter un type ?

Ayez confiance. Vous lui avez fait forte impression. Ça suffit. S'il est intéressé, il se souviendra encore de vous après la tornade, l'inondation ou la défaite des Red Sox. Sinon, bon vent. Vous savez pourquoi ? Vous êtes formidable (allons, pas d'airs supérieurs).

L'excuse « Peut-être que je ne veux pas tourner autour du pot »

Cher Greg,
C'est débile. Je sais qu'une fille n'est pas censée appeler un mec, mais je le fais tout le temps, parce que ça m'est égal ! Tourner autour du pot, merci bien. Je fais ce que je veux ! J'ai appelé des hommes des tas de fois. Tu es tellement ringard, Greg ! Pourquoi penses-tu qu'on ne peut pas faire le premier pas ?

Nikki

DU BUREAU DE GREG

Chère Nikki,
Pour la raison que cela nous déplaît.
D'accord, certains apprécient, mais par pure
paresse. Et qui a envie de fréquenter
Monsieur Paresseux? C'est aussi simple
que ça. Je n'ai pas fixé les règles et
il m'arrive de ne pas les approuver.
Ne m'agresse pas, Nikki. Je ne préconise pas
le retour des femmes au Moyen Âge. Je pense
tout bêtement que le réalisme s'impose si
tu souhaites évaluer tes capacités à changer
les pulsions primordiales qui régissent
la nature humaine.
A moins que tu ne sois l'élue.

La plupart des hommes aiment courir après les femmes. Nous aimons nous demander si nous parviendrons à vous attraper. La récompense n'en est que meilleure, surtout quand la poursuite s'éternise. Nous savons bien qu'a eu lieu une révolution sexuelle (pour notre plus grand bonheur), que les femmes sont capables de diriger des gouvernements, de piloter des multinationales et d'élever des enfants affectueux – parfois les trois en même temps. Toujours est-il que cela ne rend pas les hommes différents.

! simple comme bonjour !

Imaginez-moi en train de sauter sur place et de brandir mon poing vers le ciel. Je vous implore à genoux, je vous supplie d'une voix sonore : si vous ne devez accorder crédit qu'à un seul de mes conseils, que ce soit celui-ci : prenez les hommes tels qu'ils sont, pas tels que vous aimeriez qu'ils soient. Oui, ils adorent vous courir après et il faut les laisser faire – ce principe est exaspérant, je sais. Insultant. Frustrant. Par malheur, c'est la vérité. J'ai la conviction que si vous devez les assiéger, si vous devez les poursuivre, si vous devez prendre l'initiative, c'est que, neuf fois sur dix, vous ne leur plaisez pas vraiment (à nous de vous persuader que vous comptez parmi ces neuf-là, mesdemoiselles !). Je ne le dirai jamais assez fort : toi, la nana sublime qui lis ce livre, tu en vaux la chandelle.

Pourquoi c'est si difficile, par Liz

Eh bien, ça saute aux yeux. Quoi, se croiser les bras et attendre bêtement ? Je ne sais pas pour vous, mais à moi, cela me paraît insupportable. J'ai été élevée dans l'idée qu'il suffit de travailler dur et de bien s'organiser pour réaliser ses rêves. Toute ma vie, j'ai provoqué ma chance. Je me suis consacrée à ma carrière, en adoptant une attitude assez agressive. J'ai passé des coups de fil, pris des rendez-vous, sollicité des faveurs. J'ai agi. Mais à présent Greg nous annonce que, dans cette situation, nous sommes censées absolument ne rien faire. Les hommes disposent. Nous voilà réduites, ni plus ni moins, à mettre de jolies robes, à nous coiffer, à battre des paupières et à souhaiter qu'ils nous choisissent **nous**. Et pourquoi pas nouer mon corset trop serré pour que je m'évanouisse aux pieds du premier venu dans l'espoir qu'il me relève avant qu'une calèche me roule dessus ? Cela attirera son attention.
C'est sûr, à notre époque, la plupart des femmes (en particulier moi) trouvent difficile de se tourner les pouces. Nous aimons organiser, téléphoner, plani-

fier. Et pas seulement nous pomponner. Je suppose que les filles célibataires, en majorité, ne repoussent pas des dizaines de prétendants tous les soirs de la semaine. Il s'écoule parfois de longues périodes où personne ne s'intéresse à nous. Donc, lorsque nous tombons sur un candidat attrayant, il devient presque impossible de nous effacer. L'occasion ne se représentera peut-être pas avant un bon moment. Mais devinez quoi ? Ma méthode est nulle. Inefficace. Je n'ai jamais vécu de relation satisfaisante avec un homme que j'ai dû séduire. Je suis certaine que de nombreuses femmes viendront me démentir, mais pour ma part, tous ces types finissaient par se remettre avec leur ex-copine, se ménager du temps pour eux ou partir en voyage d'affaires. D'habitude ça n'atteignait même pas ce stade : ils se bornaient à laisser mon appel sans réponse. Laissez-moi vous dire que je n'avais pas vraiment l'impression de contrôler quoi que ce soit. Depuis que je mets en application la philosophie bien pratique de Greg, je me sens étonnamment plus forte. Car si un homme vous propose un rendez-vous, si un homme se décarcasse pour attirer votre attention, c'est vous, au final, qui tenez les commandes. Ni combines ni manigances. Et il est formidable de savoir que ma seule préoccupation consiste à être aussi heureuse que possible, à me sentir bien, à mener une vie pleine et palpitante au point d'oublier à jamais cette impression d'attendre un type quelconque, un rendez-vous éventuel. Plus important encore, il est bon de retenir que nous n'avons pas besoin d'intriguer, de manigancer, de supplier pour qu'un homme s'intéresse à nous. Nous sommes fantastiques.

♂ Ce que ça devrait donner en pratique, par Greg

Un soir que je prenais un verre dans un bar, je me suis mis à flirter avec la serveuse. Je lui ai demandé son numéro. Elle m'a alors répondu : « Je ne le donne pas car les mecs appellent rarement comme ils s'y engagent. Je m'appelle Lindsey Adams, et si tu veux mon numéro, trouve-le. » Ce que j'ai fait – dès le lendemain. Vous savez combien on compte de Lindsey Adams dans l'annuaire d'une grande ville ? Disons simplement que j'en ai dérangé huit ou neuf avant de joindre la bonne.

Un acteur avec lequel nous travaillons a rencontré une jeune femme lors d'une apparition publique sur un porte-avions. Il l'a perdue de vue au bout de dix minutes. Malgré tout, parce qu'il était tombé sous le charme, il s'est débrouillé pour remonter sa piste dans l'armée et ils sont maintenant mariés.

Greg, j'ai compris ! par Leslie, 29 ans

Greg, j'ai compris ! Je suis allée à une fête et j'y ai fait la connaissance d'un type. On s'est tout de suite mis à discuter, à l'écart des autres, dans un coin. Il m'a demandé si j'étais célibataire et ma réponse – positive – a semblé le réjouir. Lorsqu'on se séparait pour discuter avec les invités, aller chercher à boire, etc., il ne me quittait pas des yeux. Ça s'annonçait super bien. J'était tout excitée, en émoi, et je me répétais : « Oh là là, je crois que je viens de rencontrer quelqu'un. » Il ne m'a pas réclamé mon numéro, mais vu qu'on a de nombreux amis en commun, je me suis dit qu'il la jouait cool. Eh bien, il ne m'a jamais appelée ! Et tu sais quoi ? En temps normal j'aurais contacté nos copains pour leur tirer les vers du nez, découvrir ce qui avait pu se passer et peut-être imaginer un moyen détourné de le revoir. Au contraire, là, je vais aller de l'avant ! Pourquoi se soucier de ce minable ? Il ne me propose rien, alors en quel honneur devrais-je sombrer dans l'obsession ? Tiens, je vais sortir ce soir et essayer de me trouver quelqu'un d'autre.

Si vous ne croyez pas Greg

Nous avons fait un sondage dépourvu de tout fondement scientifique auprès d'une vingtaine de nos amis de sexe masculin (entre vingt-six et quarante-cinq ans), tous engagés dans une relation sérieuse à long terme. Aucune de ces relations n'a été initiée par la femme. L'un des sondés a même précisé que si sa compagne avait fait le premier pas, « ça aurait totalement gâché le plaisir ».

Ce qu'il faut retenir de ce chapitre

- ✓ Une excuse est un rejet poli. Les hommes ne craignent pas de « détruire une amitié ».
- ✓ Évitez coûte que coûte de lui proposer un rendez-vous. S'il en pince pour vous, il s'en occupera.
- ✓ Si vous pouvez le trouver, alors lui aussi peut vous trouver. Et s'il le veut vraiment, il y arrivera.
- ✓ Ce n'est pas parce que vous aimez ouvrir le bal que lui souhaite danser. Certaines traditions viennent de la nature et ne traversent pas les époques par hasard.
- ✓ « Hé, retrouvons-nous à la fête d'un tel/dans un bar/chez un pote » ne constitue pas un rendez-vous galant. Même pour celles qui vivent à New York.
- ✓ Les hommes n'oublient pas combien vous leur plaisez – alors raccrochez ce téléphone.
- ✓ Vous valez largement un rendez-vous.

Notre cahier d'exercices super-génial et super-utile

Que serait un bouquin de perfectionnement sans travaux pratiques ? Nos propos brillent d'un tel courage, d'une telle sagesse, que nous avons l'intention de vérifier qu'aucun trait de génie ne vous a échappé. A toutes celles qui ressentent le besoin de partager leurs problèmes et leurs crayons de couleur : profitez-en.

Amitiés,
Greg et Liz.

Vous vous souvenez qu'à l'école primaire on vous avait interdit d'écrire dans vos manuels ? A bas le règlement ! Prenez un stylo et dressez la liste des cinq raisons pour lesquelles vous pensez avoir tous les droits de l'appeler.

1.
2.
3.
4.
5.

Mettez le livre de côté et patientez une petite heure. Ou au moins dix minutes. Posez-vous ensuite la question : « Ai-je l'air pitoyable ? ai-je l'air de quelqu'un qui n'a pas confiance en sa splendeur innée ? » Tout à fait ! Éloignez maintenant votre main du téléphone, sortez de chez vous et allez vous amuser.

PS : Vous venez de finir un exercice à propos d'un type incapable d'éveiller en vous l'énergie de l'appeler. Pourquoi vous accrocher ?

2

Il te mérite pas s'il ne te rappelle pas

Les hommes savent se servir d'un téléphone

Bien sûr, ils racontent qu'ils ont du boulot jusqu'au cou. Qu'avec leur emploi du temps surchargé, ils n'ont même pas trouvé un moment pour décrocher le téléphone. Une journée vraiment, vraiment dingue.
Quel baratin ! A l'ère du portable, il est impossible de ne pas pouvoir vous appeler. Il m'arrive de téléphoner sans même le vouloir, de la poche de mon pantalon. Nous essayons peut-être de vous faire gober le contraire, mais nous, les hommes, fonctionnons de la même manière que vous. Nous aimons faire une pause entre deux dossiers, histoire de papoter avec l'élue de notre cœur. Cela nous

rend heureux. Et être heureux, on aime ça. Exactement comme vous. Si j'étais amoureux de vous, vous seriez le rayon de soleil de cette journée infernale. Une journée durant laquelle je ne serais jamais trop occupé pour vous appeler.

L'excuse « Mais il est souvent en déplacement »

Cher Greg,
Je fréquente depuis quelque temps un homme vraiment charmant. Il est gentil, il est tendre, il est attentionné. Notre relation est devenue une relation à distance à cause de son travail. Premier problème : il ne m'appelle jamais comme il promet de le faire. A vrai dire, il m'appelle rarement. Je reste une semaine sans nouvelles, je lui passe un coup de fil et il me recontacte, mais seulement cinq ou six jours plus tard. Lorsqu'on arrive à se parler, il se gargarise de « chérie », « ma puce », « tu me manques tellement », « je te revois quand ? ». Est-ce

parce qu'il n'est pas amoureux de moi, tout simplement, ou est-ce que je peux mettre son attitude sur le compte de la distance?

Gina

DU BUREAU DE GREG

Salut, Relation A Distance!
La seule distance qui m'inquiète est celle qui te sépare de la réalité (bon, d'accord, c'est un peu mesquin). Un exemple? Dans la deuxième phrase, tu expliques: «Il est gentil, il est tendre, il est attentionné.» Mais quelques lignes plus loin la chanson est différente: «... il ne m'appelle jamais comme il promet de le faire. A vrai dire, il m'appelle rarement» - ce qui n'est ni tendre ni attentionné. Encore moins gentil - on dirait une énorme cloche qui sonne à la volée «Je ne tiens pas à toi, voilà». Pourquoi, dans ce cas, se montre-t-il charmant au téléphone? demandes-tu. Parce que les hommes sont des dégonflés qui préfèrent de loin se défiler plutôt que d'annoncer une mauvaise nouvelle. Que les

choses soient claires : un homme qui t'apprécie veut passer du temps avec toi. Et il se contentera de cinq coups de fil par jour uniquement s'il ne peut pas prendre l'avion pour te rejoindre.

Ne vous laissez pas duper par les « chérie » et les « ma puce ». Ces mots doux ne sont que des mots, bien plus faciles à prononcer que « Je ne suis pas vraiment amoureux ». Gardez en tête que les actes en disent plus long que les excuses du style « Il n'y a pas de réception à l'hôtel où je loge ».

L'excuse « Mais il a plein de soucis »

Cher Greg,

Le jour de l'an, un homme avec lequel j'étais sortie à plusieurs reprises et que je trouvais formidable m'a posé un lapin. Lorsque je l'ai appelé, il s'est confondu en excuses : il avait dû quitter la ville pour aller prendre soin de sa mère, et tout à fait oublié de me prévenir. Je me sens déboussolée. Sa mère est en effet très malade, mais il n'y avait pas d'urgence réelle ; il lui fallait simplement partir dans le Connecticut. Greg, j'aime vraiment ce type. S'il te plaît, dis-moi qu'une mère patraque est une excuse valable pour lui pardonner et croire que je compte vraiment pour lui.

Bobbie

DU BUREAU DE GREG

Chère Nouvelle Année,
Ah oui, l'exemple parfait de la mauvaise excuse déguisée en mère malade. Car au final, pour résumer, ce monsieur te déclare : « Je ne me soucie pas de toi. » Dans le cas contraire, il t'aurait appelée, il aurait exprimé son immense regret de ne pouvoir passer cette journée avec toi. S'il a trouvé le temps de ficeler son barda et de voyager, il aurait trouvé celui de te téléphoner. Il a choisi de s'en dispenser (selon toi, il a oublié; moi j'appelle ça

un oubli délibéré). Mais quand on apprécie quelqu'un, on ne l'oublie pas comme ça - encore moins le jour de l'an. C'est vrai, ton type semble avoir eu une bonne raison, mais je pense que tu as inauguré l'année avec un grand verre de Rien-à-faire-de-toi. Désolé. Maintenant soigne ta gueule de bois et trouve-toi quelqu'un qui se souviendra d'appeler.

La voici, la grande question : « Puis-je accepter qu'un homme oublie de me téléphoner ? » Sauf cas de force majeure – il est transporté d'urgence à l'hôpital, il est licencié, on lui a fauché sa Ferrari (blague) –, il ne devrait pas manquer un seul coup de fil. Si tu comptes pour moi, je ne te néglige pas. Jamais. **L'homme de vos rêves n'est-il pas tenu d'oublier tout le reste avant de vous oublier vous ?**

L'excuse « Il dit des choses qu'il ne pense pas »

Cher Greg,
Je fréquente un homme qui, à la fin de nos conversations, s'engage à me téléphoner à un moment précis, du genre « Je t'appelle ce week-end » ou « Je t'appelle demain ». Pareil, s'il doit prendre un appel sur son autre ligne, il promet de me passer un coup de fil juste après mais ne le fait pas. Il finit toujours par me téléphoner, mais jamais comme prévu. Dois-je y voir un signe ou apprendre à faire la sourde oreille à ce qu'il dit quand il raccroche ?

Annie

DU BUREAU DE GREG

Chère Appel En Attente,
Oui, tu devrais y voir un signe. Et ce signe, c'est précisément : il n'est pas amoureux. Voilà l'affaire : la plupart des

hommes préfèrent conclure un rendez-vous ou une conversation téléphonique par ce que, jugent-ils, tu veux entendre, plutôt que par rien du tout. Certains mentent, certains sont sincères. Un truc pour les distinguer : tu sais qu'ils sont sincères quand ils font ce qu'ils se sont engagés à faire. Encore de quoi gamberger : appeler comme promis est la toute première brique sur laquelle vous bâtissez votre maison d'amour et de confiance. S'il s'avère incapable de poser cette fichue brique, tu peux dire au revoir à ta maison, mon chou. Et dehors, il fait froid.

Nous sommes devenus je-m'en-foutistes. Nous disons des choses que nous ne pensons pas. Nous faisons des promesses que nous ne tenons pas. « Je t'appelle », « On se fait un déj' » : à d'autres ! A la Bourse des interactions humaines, la dévaluation a frappé nos propos de plein fouet. Et la spirale continue puisque nous n'attendons même plus des gens qu'ils respectent la parole donnée ; à vrai dire, nous crèverions même d'embarras de faire remarquer au sale menteur qu'il s'est moqué du monde. Donc, si l'homme que vous fréquentez ne vous téléphone pas ainsi qu'il l'a annoncé, pourquoi y attacher de l'importance ? Parce que vous devriez sortir avec un homme qui tient autant à vous qu'il tient sa promesse.

L'excuse « Lui et moi sommes peut-être différents »

Cher Greg,
Mon copain et moi vivons ensemble. Il déteste tellement le téléphone qu'il ne m'appelle pas quand il part en voyage d'affaires – même pour m'avertir qu'il est arrivé sans encombre. Il refuse, point barre. Cela arrive assez souvent et on se dispute sans arrêt à ce sujet. Parfois je me dis qu'on ne fonctionne pas pareil et que je vais devoir apprendre à faire des compromis. Je présume ensuite que si on est amoureux de quelqu'un et que la distance vous sépare, on a envie de lui téléphoner, d'entendre sa voix. Est-ce que je suis folle ?

Rachel

DU BUREAU DE GREG

Chère Pas Folle,
A moins que ton copain travaille comme espion, son comportement est injustifié. Je voyage pour gagner ma vie et il se trouve que j'appelle ma chère et tendre trois ou quatre fois par jour. Il nous arrive de nous rater, mais je ne manque jamais, et elle non plus, de laisser un message. J'avoue qu'en tant qu'homme j'ai toujours rechigné à téléphoner sur commande et jamais ma femme ne me l'impose ; voilà pourquoi je l'appelle aussi souvent. Nous ne suivons aucune règle mais nous sommes attachés l'un à l'autre, nous nous aimons au point d'avoir besoin de nous parler tous les jours, voire toutes les heures. Pour moi, la liberté est bénéfique à une relation. Ressentir le manque est une émotion saine - dénigrer ton besoin de conserver une forme de lien lorsqu'il est absent est malsain. Sans se soucier du fait que le téléphone lui hérisse le poil, il devrait te respecter et t'aimer assez pour t'appeler, ne serait-ce que parce qu'il sait combien cela te rendra heureuse.

Cela ressemble à une machine tout juste bonne à transmettre les ondes vocales à l'autre bout d'un câble, disponible en plusieurs modèles – sans fil, portable, à touches, à cadran rotatif. En réalité, le téléphone a officiellement atteint un nouveau sommet dans la symbolique amoureuse. Un appel n'est-il qu'un appel, ou alors la représentation toute-puissante de son attachement réel ? Probablement un mélange des deux. Un homme sensible ne l'ignore pas, et utilisera ce moyen de communication bien pratique en connaissance de cause. Mails s'abstenir.

L'excuse « Mais ce n'est pas n'importe qui »

Cher Greg,
Tu es à côté de la plaque. Le mec que je fréquente (et j'ai fait le premier pas avec lui, soit dit en passant) est super-important et super-occupé. C'est un réalisateur de clips qui voyage beaucoup, se tape de longues

journées et plein de responsabilités. Parfois je reste sans nouvelles de lui plusieurs jours d'affilée. Il n'a vraiment pas un moment à lui, Greg ! Certains sont comme ça, très, très occupés ! Ça ne t'arrive jamais ? J'ai appris à m'en accommoder et à ne pas le bassiner, parce que je sais que c'est le prix à payer pour sortir avec un type vraiment brillant, branché, et accaparé par son boulot. Pourquoi conseilles-tu aux femmes de se montrer si casse-pieds ?

Nikki

DU BUREAU DE GREG

Chère Nikki,
Sympa de te lire à nouveau. Enfin, pas vraiment. Écoute, Nikki : « vraiment occupé » s'emploie comme synonyme de « pas vraiment amoureux », « trop important » signifie « tu n'es pas importante ». Je me réjouis que tu te sois « dégoté » un type que tu juges toi-même trop bien pour toi. Trop occupé, trop important pour faire le premier pas,

pour t'appeler - quel beau parti.
Félicitations pour votre quasi-relation !
Ça doit être formidable de savoir que ce
bourreau de travail super-branché et super-
important t'a enregistrée dans le répertoire
de son portable, même s'il ne t'appelle
jamais. Tu dois faire envie à toutes les
femmes qu'il fréquente vraiment.

Je m'apprête à énoncer une règle extravagante, d'une sévérité extrême : le terme « occupé » n'est qu'une ânerie employée le plus souvent par des connards. Ce mot signe l'arrêt de mort des couples. Il ressemble à l'excuse parfaite, mais en réalité, dans chaque terrier découvert, vous ne lèverez qu'un minable qui se croit au-dessus d'un simple coup de fil. Retenez ceci : un homme n'est jamais trop occupé pour parvenir à ses fins.

! simple comme bonjour !

C'est triste, mais je ne peux pas être tout le temps à vos côtés, mesdemoiselles, pour repousser les excuses bidon et, par conséquent, les types bidon qui croisent votre chemin. Par contre, je peux dire ce que vous ne ferez jamais lorsque vous fréquenterez un homme qui vous mérite vraiment : jamais vous ne fixerez le téléphone d'un œil hagard, le suppliant de sonner ; jamais vous ne gâcherez une soirée entre amis en vérifiant votre répondeur toutes les quinze secondes ; jamais vous ne vous en voudrez d'avoir rappelé le type quand vous saviez que l'idée était mauvaise. Désormais, vous serez si bien traitées que toute cette comédie s'avérera inutile. Vous serez trop occupées à être adorées.

♀ Pourquoi c'est si difficile, par Liz

Nous sommes intelligentes. Nous comprenons. Nous savons que les hommes devraient se montrer

prévenants, attentionnés, gentils. Bon sang, nous ne sommes pas idiotes. Oui, nous savons qu'ils devraient nous appeler, parce qu'ils l'ont promis, et nous faire comprendre qu'ils pensent à nous. Tu parles !
Comme par hasard, quand je pense m'être rentré cette tirade dans le crâne, je rencontre LE type qui déballe l'excuse parfaite pour se comporter en minable. Sa famille se désagrège vraiment et c'est lui qui doit prendre soin de tout ce petit monde. Il déménage vraiment et ne se doutait pas à quel point ce serait compliqué. Là, il est vraiment sur un gros dossier, risque d'être injoignable quelque temps, mais il m'apprécie vraiment – oui, vraiment. Et moi je l'apprécie tellement que je veux bien me montrer patiente, lui lâcher la bride, attendre sagement la suite.
Je sais, sur le plan intellectuel, ce que je suis censée retirer d'une relation – j'écris un livre sur le sujet, nom d'un chien ! Mais lorsqu'il faut se contenter de moins (parfois de beaucoup moins), il est difficile de déterminer à quel moment exact larguer les amarres et passer à autre chose. Il oublie de m'appeler un soir – je le plaque sans autre forme de procès ? Il oublie à trois reprises – alors, c'est main-

tenant ou jamais ? Trouver quelqu'un qui nous plaît et nous électrise n'est pas chose aisée, et il nous prend toujours l'envie de croire que les hommes que nous rencontrons sont honnêtes, sympas, et que nos intérêts leur tiennent à cœur. Au premier signe d'un comportement potentiellement odieux, on espère d'abord, plus que tout, se tromper. On veut aussi s'assurer que notre réaction n'est pas exagérée, qu'on ne punit pas un brave type pour les erreurs des autres. Le monde devient plus complexe et plus confus lorsqu'on se met à fréquenter quelqu'un, et je ne peux pas téléphoner sans arrêt à Greg pour lui demander conseil.
J'essaie donc d'évaluer le degré de nuisance du monsieur et de son comportement – dès que je sens qu'il me fait souffrir. Un peu déçue parce qu'il ne m'a pas appelée comme promis ? Bon, ça passe, mais ouvrons l'œil. Constamment inquiète car il est impossible de lui faire confiance ? Mauvais. En larmes ? Très mauvais. Tomber amoureuse, fréquenter quelqu'un, tout cela est censé vous remonter le moral, pas le saper. Une règle simple à graver dans la pierre, peu importent les circonstances (autrement dit les excuses...). Ce n'est pas facile, mais gardons à l'esprit que le prochain type formidable qui

dégaine une très bonne excuse est, ni plus ni moins, un type qui joue avec nos sentiments.

♀ Ce que ça devrait donner en pratique, par Liz

Quand Greg et moi travaillions sur ce livre à New York, j'ai remarqué qu'il téléphonait souvent à sa femme pour lui dire qu'il ne pouvait pas lui parler sur le moment mais qu'il pensait à elle et l'appellerait plus tard. L'effort ne semblait pas surhumain, pourtant j'ai apprécié l'attention.

Greg, j'ai compris ! par Traci, 25 ans

Greg, j'ai compris ! Je suis sortie deux fois avec un type et nous avons couché ensemble lors du second rendez-vous. Il m'a promis d'appeler le lendemain (un mardi) et j'ai poireauté près du téléphone jusqu'au week-end. Quand il s'est enfin souvenu de moi, je lui ai annoncé que c'était trop tard. Il était stupéfait, mais franchement, je n'ai pas de temps à perdre avec ce genre de crétin. Je n'avais encore jamais rien fait de pareil, et j'ai adoré !

Si vous ne croyez pas Greg

100 % des hommes sondés ont affirmé n'être jamais trop occupés pour appeler une femme dont ils sont fous. « C'est une question de priorité », comme l'a dit un type admirable.

Ce qu'il faut retenir de ce chapitre

- ✓ S'il ne vous rappelle pas, c'est qu'il ne pense pas à vous.
- ✓ S'il vous abreuve de promesses sans importance, puis n'en respecte aucune, il agira de même pour les promesses importantes. Ouvrez les yeux et admettez que vous décevoir ne lui pose aucun problème.
- ✓ Ne vous cramponnez pas à quelqu'un qui ne fait pas ce qu'il s'engage à faire.
- ✓ S'il ne fait pas le moindre effort pour vous mettre à l'aise et restaurer l'harmonie dans votre couple, c'est qu'il ne respecte ni vos sentiments ni vos besoins.
- ✓ « Occupé » égale « fumier » ; « fumier » égale le type que vous fréquentez.
- ✓ Vous méritez ce coup de fil, bordel.

Notre cahier d'exercices super-génial et super-utile

Nous aimons tous les tests. En voici un que nous espérons facile.

Cela fait deux semaines qu'un type avec qui vous avez passé une soirée – et plus car affinités – vous laisse sans nouvelles :

A Vous en concluez illico qu'il est vraiment très occupé, qu'il a égaré votre numéro, qu'il a reçu un coup sur la tête et souffre de perte de mémoire à court terme. Vous devriez l'appeler.

B Vous démissionnez, vous vous enfermez chez vous, vous appelez la compagnie de téléphone pour vous assurer que la ligne fonctionne et vous attendez son coup de fil.

C Vous comprenez qu'il ne vous mérite pas et passez à autre chose.

Très bien. Vous avez coché la réponse c. Enfantin, avouons-le – mais n'est-ce pas formidable de faire le bon choix ?

3

Il te mérite pas s'il ne sort pas avec toi

« Traîner avec », ce n'est pas « sortir avec »

Certes, ce concept semble offrir un large éventail de variations – en particulier dans les premiers stades d'une relation –, de zones d'ombre, voire de ténèbres, où règne un flou empreint de mystère et où pas une question n'est posée. Les mecs adorent cette période qui leur permet de se conduire comme si vous ne sortiez pas vraiment ensemble. Puis comme s'ils n'étaient pas responsables de vos sentiments. Proposer un rendez-vous sérieux, digne de ce nom, rend l'affaire officielle : j'aimerais te voir seul à seul afin d'évaluer nos possibilités d'avenir à deux (ou du moins feindre de t'écouter tout en me demandant si tu portes un string). Pour les lectrices en mal d'indices : cela inclut d'ordinaire une excursion dans un lieu public, un repas et du main-dans-la-main.

L'excuse « Il vient juste de rompre »

Cher Greg,
Je suis très, très amoureuse, je tiens d'abord à le signaler. Je couche avec un très, très bon ami à moi qui a récemment mis fin à un mariage désastreux. Parce qu'il vit une rupture très traumatisante, il m'a bien fait comprendre qu'il ne supporterait de ma part aucune revendication ni exigence. Au fond, il veut aller et venir à sa guise. Nous sommes amants depuis maintenant six mois. Je trouve très douloureux de ne pas avoir mon mot à dire sur la date ou la fréquence de nos rendez-vous, tout comme je trouve douloureux d'envisager de le quitter. Je n'aime pas rester coincée dans cette position d'impuissance, mais je me dis que si je tiens le coup, il

finira par être à moi. En attendant, j'avale des couleuvres. Que faire ?

Lisa

DU BUREAU DE GREG

Chère Très Très,
Parlons un peu de ton Très Bon Ami et de votre Très Grande Amitié. Ce type s'en sort bien, on dirait. Vu qu'il t'avait comme copine durant son mariage calamiteux, il pourra toujours sortir ce joker avec toi. Il lui suffit de répondre aux attentes d'une amie plutôt qu'à celles, bien plus absolues, d'une petite amie. Après tout, en tant que « copine », tu ne voudrais pas lui faire subir des tourments émotionnels en rab alors qu'il traverse une « rupture très traumatisante ». Il a le beurre et l'argent du beurre : une amie dévouée doublée d'une petite amie qu'il voit ou non au gré de ses envies. Il compte peut-être au nombre de tes potes les plus proches mais, comme petit copain, il te mérite pas.

Méfiez-vous du mot « ami ». Il peut souvent être employé par les hommes, ou par les femmes qui les aiment, pour justifier un comportement hautement inamical. Personnellement, ce que j'apprécie chez mes amis, c'est que je ne m'endors pas en pleurant à cause d'eux.

L'excuse « Mais nous sortons vraiment ensemble »

Cher Greg,

Cela fait trois mois que je fréquente quelqu'un. On passe ensemble quatre ou cinq soirées par semaine, on sort beaucoup. Il m'appelle toujours comme promis et ne me fait jamais faux bond. On s'amuse comme des fous. Il n'y a pas longtemps, il m'a annoncé qu'il ne voulait être le petit ami de personne et qu'il n'était pas prêt pour une relation sérieuse. Je sais qu'il ne voit personne d'autre ; je pense que le terme « petit ami » lui fait peur, voilà tout. Greg, on dit toujours qu'en matière d'hommes les femmes feraient mieux de tenir compte des actes, pas des paroles. Cela ne signifie-t-il pas que je devrais faire la sourde oreille, avec la certitude qu'il veut passer tout son temps en ma compagnie, et que, peu importe ce qu'il raconte, il est vraiment amoureux de moi?

Keisha

DU BUREAU DE GREG

Chère Sourde Oreille,
J'ai cherché « Je ne veux pas être ton petit ami » dans le Dictionnaire des relations, juste pour vérifier, et je ne me trompais pas : cela veut toujours dire « Je ne veux pas être ton petit ami ». Génial ! Sortant de la bouche d'un type qui passe quatre ou cinq soirées par semaine en ta compagnie, ça doit faire mal. Quel plaisir de savoir ton non-chéri bien installé dans ton monde, déchargé du moindre engagement. Je ne vois pas ce que tu y gagnes. Si tu veux consacrer tout ce temps à un triste sire qui proclame qu'il n'est pas ton jules, vas-y. Mais j'avais

l'espoir que tu ne te contenterais pas d'un homme capable de te dire en face : « Je ne suis pas vraiment amoureux de toi. »

Les hommes, à l'instar des femmes, veulent se sentir protégés dans leurs sentiments dès qu'une relation s'annonce sérieuse. Par exemple, ils revendiquent leurs droits. Ils ont envie de déclarer : « Je suis ton petit ami », « J'aimerais être ton petit ami », « Si un jour ça casse avec ce type qui n'est pas ton petit ami, j'aimerais le devenir, moi ». Un homme véritablement amoureux vous veut rien que pour lui. Et qu'y a-t-il d'étonnant à ça, beauté ?

L'excuse « C'est mieux que rien »

Cher Greg,
Je fréquente un type depuis six mois. Nous nous voyons environ toutes les deux semaines. Nous nous amusons bien, faisons l'amour, passons un moment agréable. Je me suis dit

qu'en laissant la relation évoluer d'elle-même, nous en viendrions à nous retrouver plus souvent, mais rien n'a bougé. Comme je suis vraiment attachée à cet homme, j'ai l'impression que c'est mieux que rien. On ne sait jamais, la situation peut changer d'un instant à l'autre. Je reconnais qu'il est très occupé, qu'il n'est sans doute pas en mesure de consacrer plus de temps à une relation pour le moment. En fait, je devrais me sentir honorée d'un tel sacrifice, il m'aime peut-être réellement. Pas vrai?

Lydia

DU BUREAU DE GREG

Chère Mieux Que Rien,
Vraiment ? On vise le « mieux que rien » maintenant ? J'espérais au moins « beaucoup mieux que rien ». Voire carrément « quelque chose ». Tu as perdu la boule ? Te sentir honorée de récolter les miettes de son temps, et quoi encore ? Qu'il soit occupé ne le rend pas inestimable. « Occupé » ne

signifie pas «meilleur». A mon avis, tout homme fichu de laisser passer deux semaines sans te voir ne te mérite pas.

Oh, avec quelle facilité vous oubliez notre sujet d'étude ! Laissez-moi vous le rappeler : il s'agit du type qui vous veut, qui vous appelle, qui vous fait vous sentir sexy et pleinement désirée. Celui qui souhaite vous voir de plus en plus souvent car il vous apprécie, puis vous aime, de plus en plus à chaque rencontre. Je sais de quoi je parle. Retrouver quelqu'un toutes les deux semaines, une fois par mois, partager un peu d'amour et d'affection comme en passant peut vous aider à tenir une journée, une semaine ou un mois – mais une vie entière ?

L'excuse « Mais il part souvent en voyage »

Cher Greg,
Je fréquente un type depuis bientôt quatre mois. Comme il est souvent par monts et par vaux, nous ne nous engageons pas vraiment.

Mais lorsque nous passons un peu de temps ensemble et que je trouve le courage d'aborder l'avenir de notre relation, il doit à nouveau partir. Je me sens stupide de mettre ça sur le tapis alors qu'il s'apprête à prendre le large, et je me sens d'autant plus stupide à son retour que nous ne nous sommes pas vus depuis un certain temps. Il m'est difficile d'aborder le sujet – je ne veux pas plomber nos bons moments avec une « discussion de couple ».

Marissa

DU BUREAU DE GREG

Chère Voyageuse Dans Le Temps,
Voici le petit secret de certains baroudeurs : ils sont impatients de partir en vadrouille. Ça les botte de multiplier les kilomètres avec trappe de secours intégrée. Essaie donc d'atteindre une cible mouvante. Il existe des moyens de conjuguer voyage et vie de couple, et il existe des moyens de les dissocier. Un truc facile pour

`les reconnaître : note si le type répète, rabâche même, combien ça l'ennuie de devoir en permanence se séparer de toi. S'il ne fait aucun effort pour s'assurer que durant son absence tu ne pars pas en quête d'un remplaçant, alors je crois que tu as embarqué sur le vol à destination d'Il-te-mérite-pas. Attache ta ceinture.`

Vous avez tout à fait le droit de savoir ce qui se passe entre vous et un homme avec qui vous faites des cabrioles. Plus vous êtes sûres de mériter cette mise au point (le minimum vital), plus vous vous sentirez capables de poser vos grandes questions sans verser dans la lourdeur et le mélodrame, je vous le garantis.

! simple comme bonjour !

Désormais, à partir de maintenant, et même de tout de suite, respectez ce serment solennel dans vos futures relations amoureuses : plus d'ombre, plus de ténèbres, plus de non-identifié, plus d'inavoué. Et, si possible, essayez de faire vraiment connaissance avec quelqu'un avant de vous retrouver nue en sa compagnie.

♀ Pourquoi c'est si difficile, par Liz

Je déteste dévoiler mes sentiments. Je déteste jacasser sur ma « relation ». En tant que nana, je sais bien que les filles sont censées avoir les émotions à fleur de peau, mais pas moi. Cela m'énerve royalement. Ce qui m'énerve surtout, c'est d'avoir à demander à un homme où va notre couple, ce qu'il ressent à mon égard. Beurk. Naturel, facilité et évidence devraient être les maîtres mots.

Je suppose que si je dois me mettre à cogiter, planifier et imaginer toutes sortes de ruses pour démêler ma situation, c'est mauvais signe.

Minute papillon. Se lancer dans une nouvelle relation est formidable. Nous sommes tous en âge d'avoir vécu, ou observé, l'épreuve d'une histoire d'amour brisée. Nous savons que dans les liaisons, un début appelle forcément une fin. Et les fins sont toujours nulles.

Bien entendu, les gens, femmes y compris, inventent sans désemparer mille stratagèmes, mille diversions, mille distractions dans l'espoir de faire une croix sur ce qui ressemblerait à un début de relation.

Il s'agit juste d'une facette fort ingénieuse et compréhensible de la nature humaine. Alors qu'importe si, au tout début ou un peu plus tard, la relation paraît plutôt vague. Qui veut tenir le rôle de la timbrée, celle qui met les pieds dans le plat à la minute où elle rencontre un homme ? Vous préférez jouer la fille cool – celle qui sait s'amuser sans rien exiger. Celle que j'ai toujours rêvé d'être. Que j'ai toujours été.

Le problème, c'est que la fille cool n'en est pas moins vulnérable. Elle réagit à la manière dont son copain la traite. Attend qu'il téléphone, se demande quand elle le reverra et s'il est heureux en sa compagnie. Je déteste ça.

Peut-être est-ce moi, parce que mes priorités ont évolué avec le temps, mais je ne veux plus « fréquenter quelqu'un, plus ou moins » ni « sortir avec un type, d'une certaine façon ». Je ne veux plus dépenser une énergie folle à refouler mes sentiments, à paraître indifférente. Je veux m'impliquer. Je veux partager mon lit avec un homme que je reverrai, sans en douter une seconde, car il m'aura déjà prouvé son honnêteté, sa droiture – et son amour. Inutile de dire qu'au début il faut se montrer prudent sur ce qu'on choisit de révéler. Mais cette prudence ne devrait pas le mettre à l'aise, **lui** ; elle vous concerne, **vous**, la créature délicate et précieuse qui ferait mieux d'accorder son affection avec soin et discernement. Voilà ce à quoi je m'emploie désormais. Et cela ne me réussit pas trop mal.

♂ Ce que ça devrait donner en pratique, par Greg

Mon amie Laura ne laissait pas mon ami Mike indifférent. Après les répétitions de son groupe, il lui a proposé un rendez-vous ; cela a fini par un mariage. Mon ami Russel a rencontré une certaine Amy, ils se sont revus, puis se sont dit oui pour la vie. Mon ami Jeff a rencontré une jeune femme qui vivait à la campagne ; il lui a rendu visite le week-end suivant et a multiplié les visites jusqu'à ce qu'il s'installe chez elle. C'est aussi simple que ça, vraiment. **C'est presque toujours aussi simple.**

Greg, j'ai compris ! par Corinna, 35 ans

Greg, j'ai compris ! Je fréquentais un type depuis deux ou trois mois quand il m'est apparu d'un coup que je ne l'enthousiasmais pas particulièrement. Autrefois, je me serais accrochée, je lui aurais trouvé des excuses et j'aurais même exigé sa version. Là, j'ai fait une petite expérience. Admettant qu'il n'était pas vraiment attaché à moi, j'ai arrêté de lui téléphoner. Mes soupçons se sont vérifiés : il ne m'a jamais rappelée ! Incroyable le temps que j'ai pu gagner en m'avouant que j'assumais tout le boulot, tout simplement, et que je voulais plus !

Si vous ne croyez pas Greg

100 % des hommes sondés ont affirmé que jamais la « peur de l'intimité » ne les a empêchés de s'investir dans une relation. L'un l'a définie comme une « affabulation courante ». Un autre a avoué : « C'est l'explication qu'on donne lorsqu'une fille nous laisse froid. »

Ce qu'il faut retenir de ce chapitre

✓ Les hommes expriment ce qu'ils ressentent même si vous refusez de les écouter ou de les croire. « Je ne veux pas m'investir dans une relation sérieuse » signifie en toute sincérité « Je ne veux pas m'investir dans une relation sérieuse avec toi » ou « Pas sûr que tu sois la bonne » (désolé).

✓ Mieux que rien, ce n'est pas assez bien pour vous !

✓ Si vous ne savez pas quelle direction prend la relation, vous pouvez vous garer sur le côté et demander.

✓ Pas clair ? Pas bon.

✓ Quelque part attend un homme qui ne pourra pas se retenir de raconter à tous qu'il est votre petit ami. Arrêtez de faire l'idiote et trouvez-le.

Notre cahier d'exercices super-génial et super-utile

Donner des conseils, c'est très facile et plutôt distrayant. Nous avons un peu appris sur nous-mêmes (enfin, surtout Liz). Pourquoi ne pas essayer, vous aussi ?

« Cela fait deux-trois mois que je fréquente un type avec lequel je n'ai jamais eu de vrai rendez-vous. Il me propose toujours de le retrouver quelque part, dans un bar, chez un ami, et ne donne pas l'impression de vouloir passer du temps en tête à tête – sauf si nous couchons ensemble. Au lit, ça se passe bien : je pourrais peut-être m'en contenter en attendant qu'il comprenne qu'il est fou de moi ? »

Réponse :

Si vous avez trouvé la bonne réponse (en conseillant à cette charmante jeune femme d'oublier Chaud Lapin le Pilier de Bar, c'est que votre cerveau est apte à traiter ces problèmes ; l'information se trouve en vous, depuis toujours. Mettez donc à votre profit cette sagesse retrouvée.

4

Il te mérite pas s'il ne couche pas avec toi

Un homme à qui tu plais n'a qu'une idée en tête : te toucher

Mesdemoiselles, durant vos années d'exploration sentimentale, vous allez rencontrer, et avez déjà croisé sur votre chemin, une foultitude d'hommes. Pardonnez-moi d'être aussi brutal : quelques-uns de ces messieurs ne seront pas attirés par vous, voilà. Je sais que vous êtes canon, mais ainsi va la vie (Cindy Crawford elle-même en laisse certains froids : « Je ne comprends pas ce qu'on lui trouve »). Et aucun d'entre eux, absolument aucun, **n'osera vous l'avouer**. Oh, ils en diront des choses... Ils joueront les effarouchés, les déboussolés, les fatigués, les mal en point, les malades, les traumatisés (encore). Pourtant la vérité est simple, crue, claire comme le jour : vous ne l'attirez pas, et lui ne veut pas vous faire de peine. Dans le cas contraire, il aurait bien du mal à contrôler ses sales pattes. D'une simplicité biblique ! Un homme qui ne cherche pas à vous déshabiller n'est pas amoureux de vous.

L'excuse « Il a peur de souffrir à nouveau »

Cher Greg,
Récemment, j'ai rencontré par hasard dans la rue un ancien petit copain. Après avoir perdu le contact durant de nombreuses années, nous avons « renoué », bien que la nature de notre relation ne soit pas très claire. Il ne m'embrasse jamais, ne me drague pas. Mais nous allons danser la salsa, nous faisons la tournée des bars, nous discutons, dansons, rions et flirtons jusque tard dans la nuit. Il me fait sans arrêt des compliments, me répète combien il est heureux de me voir. Un soir, il m'a même dit qu'il

m'aimait et qu'il espérait toujours m'avoir dans sa vie. Toutes mes amies pensent qu'il a peur de souffrir à nouveau et me recommandent de persévérer. C'est un type super. Il a vraiment l'air de tenir à moi, mais la peur le paralyse, non? Greg, on danse la salsa jusqu'à quatre heures du matin. La salsa! Un conseil, vite.

Nicole

DU BUREAU DE GREG

Salut Salsa,
Je suis un mec. Si je tiens à toi, je t'embrasse. Ensuite je me demande de quoi tu aurais l'air en et sans sous-vêtements. Car je suis un mec, et c'est comme ça que je fonctionne. Pas de «si», pas de «et», et surtout pas de «mais». A-t-il peur? Oui : de te causer de la peine. Voilà pourquoi il n'a pas clarifié la relation. Il attend peut-être le bon moment dans l'espoir de développer des sentiments plus profonds envers toi, en te disant qu'il t'aime et qu'il souhaite ne plus jamais te perdre de

vue. S'il était amoureux, il ne pourrait s'empêcher de s'impliquer dans une relation, sans se soucier de sa peur ou de ses expériences passées. Alors, va de l'avant ! Trouve-toi quelqu'un qui méritera ton affection et tes mouvements de salsa ravageurs.

Un homme ne cherchera pas à élever une amitié au « niveau supérieur » pour de nombreuses raisons. Peu importe lesquelles, à vrai dire, et peu importe que vous les compreniez. Le principal, c'est que lorsqu'il s'imagine avec vous dans un contexte intime (et croyez-moi, nous y pensons), il hésite puis se dit : « Non. » Ne perdez pas de temps à ruminer dessus, concluez : « Tant pis pour lui. »

L'excuse « Il est tellement fou de moi que ça le bloque »

Cher Greg,
Je fréquente un homme depuis un mois. Au lit, tout se passait bien. Pile au moment où notre relation semblait « décoller », nous

avons arrêté de coucher ensemble. J'ai passé la nuit chez lui à quatre reprises et nous avons fini par... dormir. Quelques câlins, et rien d'autre. C'est étrange, le sexe a comme disparu. Vu que je trouve humiliant de lui demander ce qui ne va pas, je présume qu'il est vraiment, vraiment amoureux de moi et qu'il a peur, point barre.

Sally

DU BUREAU DE GREG

Chère Rien Que Des Câlins,
Un mois? Un mois?! Tu plaisantes, j'espère? Au bout d'un mois, le type devrait se sentir assez à l'aise pour aborder le chapitre des tenues, des positions, des huiles de massage et de la sodomie. Un mois, et il en aurait déjà assez d'imaginer différentes façons de te prendre? Après une si courte période, c'est totalement impossible. Trouve le cran de lui demander ce qui se passe
- communiquer n'est jamais une mauvaise idée - mais, à mon avis, tu connais déjà la

réponse. Prends tes distances, et qu'il explique à ton cul de déesse pourquoi il ne veut pas coucher avec toi. Dans ce cas, tu sais ce que nous dirions.

Ah, voici l'heure du grand débat sur la « peur de l'intimité ». Existe ? existe pas ? De très nombreuses personnes suivent une psychothérapie par sa faute, une myriade de manuels y sont consacrés, on ne compte plus les salauds qui s'en servent comme excuse. (Nous avons même fait un sondage sur le sujet quelques pages plus haut.) C'est certain, beaucoup de gens ont souffert dans leur vie et, depuis, ont peur de l'intimité. Mais vous savez quoi ? Quand un homme est vraiment amoureux, rien ne peut l'empêcher d'être avec la femme qu'il aime – pas même la peur de l'intimité. Il peut se manier le train pour consulter un psy si le problème est sérieux, mais il ne vous laissera jamais dans le flou.

L'excuse « Mais nous sommes tellement bien ensemble »

Cher Greg,

Je fréquente un homme qui m'a expliqué, après notre premier rendez-vous, qu'il ne pouvait pas être monogame. Il n'y croit pas. J'ai quand même couché avec lui avant de me rendre compte que le fréquenter serait malsain et de rompre. Il m'a ensuite tellement manqué qu'on se retrouve maintenant dans une situation étrange : on traîne ensemble, on organise des sorties, puis on fait « lit commun ». Je passe la nuit chez lui et on se borne aux câlins. C'est tellement agréable, Greg. On prépare le dîner, on regarde la télé, on rigole. On passe un moment spécial et je me sens si proche de lui. Il ne tente rien, chacun apprécie simplement la compagnie de l'autre. Je sais bien que je ne suis pas censée m'en contenter, mais j'ai comme l'impression d'être sa petite amie, et on ne sait jamais... Je trouve merveilleux de dormir et de me réveiller à ses côtés ! Est-ce que ça pose problème ?

Pat

DU BUREAU DE GREG

Chère Pyjama-Party,
Je récapitule. Entendre cet homme te dire qu'il ne veut pas être monogame n'a pas suffi, il t'a fallu retourner le couteau dans la plaie en continuant à le fréquenter quand il va peut-être voir ailleurs. Alors tu as comme l'impression d'être sa petite copine, mais sans les avantages - pas même le sexe. Quel genre d'expérience scientifique bizarre fais-tu subir à tes émotions ? Comprenez-moi bien, madame Curie, je sais qu'il est agréable d'avoir de la compagnie et de se réveiller auprès de quelqu'un à qui on tient vraiment, mais les animaux familiers sont là pour ça. Dieu les a créés dans le but de te dire : « Ne vise pas plus bas parce que tu te sens seule. » Manifestement, tu te connais assez pour savoir que tu refuses de partager

ton homme, et au fait... tu as raison !
Tu mérites un copain rien qu'à toi, un type que tu jugeras fiable au point de faire l'amour avec lui.

Selon une idée arriérée, une femme qui refuse de coucher détient le pouvoir. Il semble que les hommes puissent aussi jouer ce jeu. Pourquoi se fatiguer quand on peut obtenir l'intimité sans rien donner en échange ? C'est tout bête : si un type se satisfait de traîner au lit avec vous, à manger des cookies et à regarder des vieux films – et s'il n'est pas homo –, c'est qu'il ne vous mérite pas.

L'excuse à entrées multiples

Cher Greg,
Mon petit ami, que je fréquente depuis un an et demi, ne semble plus attiré par moi. Il ne veut pas faire l'amour très souvent, à la rigueur tous les quinze jours, et en général je dois prendre l'initiative.

A mes questions il répond qu'il est stressé par son travail mais que je l'attire vraiment. Avant, il me racontait qu'il était trop déprimé par la mort récente de sa mère. En fait, en y réfléchissant bien, ça se passe comme ça depuis notre toute première rencontre. Au début j'avais vraiment l'impression qu'il me trouvait à son goût, mais depuis, son intérêt semble être retombé. Je l'aime, notre relation est par ailleurs pleine d'affection, très saine, bien que la plupart du temps je me sente frustrée et peu séduisante. Mes amies me conseillent de le croire sur parole. Je commence pourtant à penser qu'il n'est pas vraiment fou de moi, sur le plan physique.

Dara

DU BUREAU DE GREG

Chère Allons Au Lit,
Si je suis vraiment fou d'une femme, je veux le lui prouver. En privé. Sans vêtements. Et

de manière répétée. Choisir un partenaire avec lequel on compte faire un bout de chemin, ou même sa vie, implique de choisir, autant que possible, une personne portée sur les mêmes choses que nous. Sexe inclus - sinon exigé. Tu peux accepter ses excuses si ça te chante, mais tu dois te demander ceci : est-ce la relation que j'ai envie de vivre? Est-ce ainsi que je veux finir ma vie de femme? Peut-être qu'il est fou de toi, peut-être pas, mais la seule question qui compte est de savoir si tu veux rester dans cette incertitude pour le restant de tes jours.

Les Égyptiens l'ont peint sur des poteries, les yogis en ont fait des livres, les juifs des lois religieuses : tous considèrent que le sexe est l'un des principaux ingrédients d'une union heureuse, le pratiquer une des grandes joies de la vie. Le type que vous fréquentez devrait être la dernière personne à vous empêcher de prendre votre pied.

simple comme bonjour !

Une vérité à apprendre, appliquer, apprécier, adorer : un homme qui vous aime veut coucher avec vous. Au cours d'une relation à long terme, certes, le rythme risque de ralentir, mais même alors il s'agit d'une joie, d'un don, et de votre droit à une vie sexuelle fantastique.

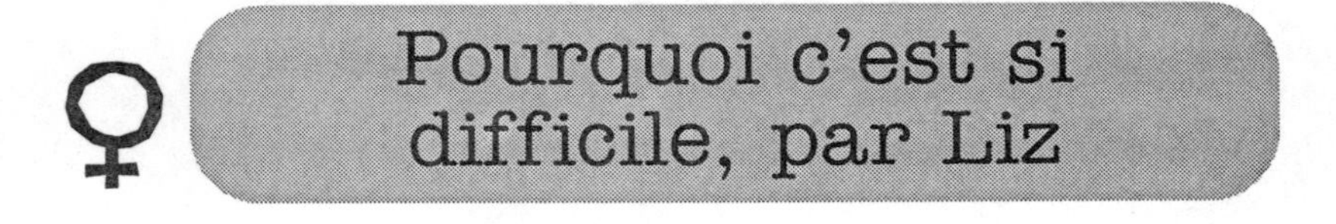

Donc on parle de sexe. On en discute, on s'interroge, on en réclame. Il y a de quoi rire, non ? Je ne sais pas pour vous, mais moi, je préfère carrément, et de très loin, croire qu'un homme se sent trop stressé, trop triste, trop spirituel, trop énervé, trop gros, trop fou, trop amoureux de son ex, trop effrayé, trop sensible, trop échaudé, trop entiché de sa mère, trop psychopathe, trop **n'importe quoi**, plutôt que découvrir qu'il n'est pas attiré par moi. Ou qu'il ne veut pas coucher avec moi de peur que cela ne nous engage dans une véritable relation, et parce que je ne compte pas tant que ça à ses yeux. Une confusion extrême règne puisqu'il s'agit de notre sexualité (gênant), à laquelle se mêlent des émotions (humiliant) auxquelles se greffent nos propres doutes (cauchemardesque). Dans le cas des relations à long terme, tous prétendent que le désir s'émousse tôt ou tard, alors qu'importe s'il faiblit un peu plus tôt que prévu. L'important n'est-il pas d'avoir des atomes crochus avec un type bien, qui pourrait faire un père fantastique ?

Parce qu'on aborde un problème psychologique complexe et qu'il est tellement pénible d'en parler, je pourrais presque accepter une relation avec ce type qui aime tant les pyjama-parties, ou le petit ami à la libido faiblarde – au moins il apprécie toujours ma compagnie. Je serais peut-être capable de dormir auprès d'un type que je laisse indifférent, sans broncher. Voire de continuer à fréquenter celui qui semble vouloir être mon mec en titre mais ne souhaite pas me voir nue pour autant. Je serais peut-être même capable de me satisfaire d'un mariage paisible avec un homme merveilleux, qui serait plus un ami qu'un mari – s'il n'y avait tous ces couples qui respirent le bonheur.

Et je ne parle pas de ceux qu'on voit se rouler des pelles à tout-va dans la rue. Qui sait comment ils se comportent en privé ? Je parle de mes amis, de gens que je connais bien, qui réussissent à concilier travail, carrière, vie commune et parfois enfants, tout en assumant une relation pleine d'amour et de piment. Je saurais facilement me contenter de moins – si j'étais du genre à me dire : « Et alors ? » à la vue de tels couples. Mais je fonctionne autrement : je suis plutôt du genre à penser : « Bon sang, voilà ce que je veux. » Embrouilles assurées, car ça signifie que je vais devoir poser les questions embarrassantes et, pire, risquer de rompre avec un type formidable s'il ne souhaite pas du tout faire l'amour, ou pas assez souvent. Mais j'avoue souffrir de cette maladie qui me pousse à croire que je peux rendre un homme, même le meilleur, à la fois fou d'amour et de désir. Je crois aussi que lorsque cette attirance disparaîtra, ce qui arrivera forcément, nous pourrons fixer comme priorité de chercher à rester fous de désir l'un pour l'autre. Si vous êtes affligées du même défaut, il vaudrait mieux confisquer oreiller, verre de lait et cookies à Monsieur Charentaises. Nous méritons plus qu'une soirée pyjama.

♂ Ce que ça devrait donner en pratique, par Greg

Ne me demandez pas comment je le sais, parce que je préfère ne pas en parler, mais je peux vous affirmer que mes parents, fringants septuagénaires, après les enfants, les maladies, la vieillesse, les boulots stressants, les tracas quotidiens (comprendre : la vie) font toujours l'amour. Si mes parents en sont capables, votre copain et vous aussi.

Greg, j'ai compris ! par Dorrie, 32 ans

Je fréquentais un collègue de travail. Nous devions passer pas mal de temps ensemble et je trouvais vraiment romantique d'apprendre à le connaître et de travailler avec lui. Nous nous retrouvions aussi après le boulot pour sortir, nous nous souhaitions bonne nuit avec un baiser. Cette situation a duré deux mois. Il n'allait jamais plus loin. Entre-temps, j'ai rencontré sa famille, je suis allée à des réceptions avec lui, nous avons fait des projets. Comme un véritable couple, mais sans coucher ensemble. Sachant qu'il n'avait pas eu de relation stable pendant longtemps, je pensais qu'il ne voulait pas bousculer les choses. Puis je me suis rendu compte, au bout de trois mois, qu'il devenait intime avec moi sans passer par la case « relations intimes ». Lorsque j'ai trouvé le courage de lui demander s'il comptait en rester là, il s'est mis à pleurnicher et à bredouiller des trucs sur l'engagement, ses appréhensions, je ne sais quoi encore. J'ai fichu le camp vite fait parce que j'avais compris que peu importait sa gentillesse et notre pseudo-intimité, il n'était pas vraiment amoureux de moi. Et cela ne me suffisait pas.

Si vous ne croyez pas Greg

Sur les vingt hommes sondés, vingt ont répondu sans aucune hésitation (d'accord, tout s'est fait par mail, mais ils semblaient vraiment sûrs d'eux) qu'il ne leur était jamais arrivé d'être raide dingue d'une femme avec laquelle ils n'avaient pas envie de coucher. L'un a même écrit : « Quoi ?! Comment ?! C'est une question ? »

Ce qu'il faut retenir de ce chapitre

- ✓ Les gens vous racontent tout le temps leur vie. Quand un homme dit qu'il ne peut pas être monogame, vous feriez mieux de le croire.
- ✓ Faire copain-copain c'est super, faire l'amour encore mieux. Appelez un chat un chat ou, plus à propos, un ami un ami, et trouvez-en un aux mains très baladeuses.
- ✓ Votre amour-propre peut être plus long à retrouver qu'un nouveau copain, alors établissez vos priorités en conséquence.
- ✓ Si ça vous tente de passer d'innombrables nuits à faire des câlins et rien d'autre, achetez un chiot.
- ✓ Quelque part il y a un homme qui veut coucher avec vous, créature de rêve.

Notre cahier d'exercices super-génial et super-utile

Prenez un crayon de couleur rouge vif. Coloriez le drapeau ci-dessus. Vous obtenez un superbe drapeau rouge.

Bien : vous avez sous les yeux un homme qui ne veut pas coucher avec vous. Maintenant, posez ce crayon et sortez vous offrir un grand bain d'amour.

5

Il te mérite pas s'il couche avec une autre

Tromper est et sera toujours inexcusable

S'il vous trompe, jetez-le. Je plaisante. Je sais bien que ce n'est pas aussi simple, et il faut admettre que le sujet semble rudement compliqué. Certains diront : « Ce n'est qu'une histoire de sexe, quelle importance ? », d'autres argueront qu'une petite incartade ne vaut pas la peine de compromettre une relation sérieuse. Tout cela est peut-être vrai. Voici pourtant mon opinion : quels que soient les problèmes vécus par votre couple, ils ne l'excusent pas d'aller voir ailleurs. Ne vous demandez pas quelle erreur vous avez commise, ne culpabilisez pas. Et s'il vous assure que c'était un « accident », gardez à l'esprit qu'on ne trompe pas « par accident », du genre « Oups, j'ai glissé et j'ai couché avec une nana, mais pas exprès ». L'acte a été planifié, exécuté en toute connaissance de cause. Sachez ceci : s'il prend du bon temps chez une autre à votre insu et sans recevoir votre feu vert, non seulement ce type n'est pas vraiment fou de vous, mais surtout c'est un minable qui ne vous mérite pas.

L'excuse « Il n'a aucune excuse et il le sait bien »

Cher Greg,
Mon copain et moi vivons ensemble depuis un an. J'ai découvert qu'il y a un mois de cela il avait couché à deux reprises avec une collègue de travail (elle me l'a confié lors d'une fête !). J'ai interrogé mon compagnon, qui a tout avoué, avant de faire mes valises et de m'installer chez une amie. Depuis, il m'appelle sans cesse et me supplie de lui donner une seconde chance. Il dit qu'il ne comprend pas ce qui lui a pris, me promet de ne plus jamais recommencer. Il regrette vraiment. Que faire ?

Fiona

DU BUREAU DE GREG

Chère Il y a Un Mois,
Voyons voir : il a couché avec une autre alors qu'il partageait ta vie et tu as appris son écart de la bouche de la fille. Tu as tiré le bon numéro, on dirait. A quand le mariage ? Un peu de sérieux : parlons de cette période particulière dans votre couple. Ce mois-là, il a couché avec une autre - deux fois -, est rentré à la maison et a dormi dans le même lit que toi. Il te dissimulait activement ce secret lorsqu'il te regardait dans les yeux. N'oublions pas que ce gentleman n'a rien confessé de son propre gré - Greluche la Briseuse de Ménages s'en est chargée à sa place. Si ton copain était arrivé à ses fins, ce joli mois puant la malhonnêteté aurait été suivi d'un deuxième, puis d'un troisième... Ses excuses comptent-elles ? Tu peux choisir de croire en sa sincérité. Tu peux aussi choisir de croire qu'il va changer. Mais à mon sens, mentir, tromper, tricher, cela va totalement à l'encontre du comportement d'un homme vraiment amoureux.

Tromper, c'est mal. Ne pas savoir pourquoi, c'est encore pire. Si un drapeau rouge ne vous suffit pas, faut-il en agiter un autre ? Ne fréquentez pas d'homme qui ne comprend pas la raison de ses actes.

L'excuse « Mais j'ai grossi »

Cher Greg,
Cela fait deux ans que je sors avec le même type et j'avais l'impression que ça marchait bien entre nous. Il est rentré un jour d'une visite chez sa famille et m'a avoué avoir couché avec une fille rencontrée dans un bar. Anéantie, je lui en ai demandé la raison. Il m'a répondu que, comme j'avais pris du poids, je ne l'attirais plus. Sa réponse m'a déconcertée : il a raison, j'ai pris environ dix kilos. Dois-je rompre ou m'inscrire au club de gym ?

Beth

DU BUREAU DE GREG

Chère Dix Kilos,
Je pense carrément que tu devrais perdre quatre-vingt-cinq kilos - soit l'équivalent de ton nullard de copain -, et non les dix dont tu parles. Il t'a trompée et t'a traitée de grosse, ni plus ni moins. Combien de yaourts à 0 % d'amour-propre une personne normale peut-elle s'enfiler ? L'excuse du poids est non seulement mesquine mais aussi, et surtout, inacceptable. Si quelque chose lui pose problème dans votre relation, il est censé t'en parler, pas te cocufier. Au fait, comment compte-t-il réagir le jour où tu tomberas enceinte, vieilliras, prendras quelques rides ? Ou que tu porteras une couleur qui lui déplaît ? Débarrasse-toi de ce pauvre type sinon je me pointe chez toi pour le virer moi-même.

L'excuse « Mais il a une libido plus active que la mienne »

Cher Greg,

Je fréquente un homme depuis un an et j'ai découvert, par l'entremise d'un ami, qu'il me trompe avec une personne que je connais de loin. J'ai exigé la vérité et mon copain m'a expliqué que nous ne faisions pas assez l'amour. Voilà pourquoi il allait voir ailleurs. Il a raison : parfois je n'ai pas envie de lui, alors que lui me presse. Ça n'arrive pas toujours mais il est excité plus souvent que moi, c'est sûr. Donc, d'une certaine façon, il n'a pas tort. Dois-je lui pardonner et me forcer à le satisfaire ?

Lorraine

DU BUREAU DE GREG

Ce que tu devrais te forcer à faire, c'est balancer les vêtements de monsieur qui traînent encore chez toi. Coucher avec la première venue est inexcusable, point. Il existe de nombreuses façons de régler le problème somme toute courant des libidos désaccordées au sein d'un couple. D'habitude, l'un entame une conversation raisonnable ; s'ensuit alors une discussion qui s'achève, espérons-le, quand les deux parties se mettent d'accord pour faire des efforts - et pas quand lui se fourre sous la couette avec une nana que tu connais ! Non content de manquer de respect envers toi et votre relation, il ne se respecte pas assez pour s'investir dans une histoire sérieuse. Il ne s'agit même pas de savoir s'il est vraiment attaché à toi. Dans ce genre de situation, s'il te reste un tant soit peu d'estime, mieux vaut ne pas être attachée à lui.

Les deux derniers gugusses sont incroyables. Ils ont trahi la confiance de leurs copines et les ont humiliées. Puis ils rejettent la faute sur elles, conscients d'avoir commis un acte qui les a démoralisées au point de leur faire gober les pires conneries. Voici une idée lumineuse et pleine de bon sens : si quelque chose coince dans une relation, parlez-en. N'acceptez d'aucun homme qu'il vous rende responsables de son infidélité. Jamais.

L'excuse « Mais au moins il la connaissait »

Cher Greg,
Cela fait un an que je vis une relation suivie. Mon ami et moi sommes amoureux l'un de l'autre, nous nous entendons très bien. Récemment il a repris contact avec son ex-femme, qu'il n'avait pas vue depuis près d'un an (elle l'avait quitté pour un autre, ils ont divorcé il y a deux ans), et ils ont couché ensemble. Je suis bouleversée et souhaite rompre ; lui veut que je lui pardonne pour la raison qu'il ne m'a pas trompée avec une petite nouvelle, mais avec son ex-femme. Il me jure que cela ne se reproduira plus, qu'il n'a pas pu résister au retour de flamme. J'aimerais lui pardonner – cela n'est arrivé qu'une fois –

mais j'ai le sentiment qu'il a tout gâché. Est-ce qu'il peut réellement être amoureux de moi et me faire ça?

Joyce

DU BUREAU DE GREG

Chère Gâchée,
Qui a décidé de glisser «ex» dans «sexe»? Tu m'expliques que son prétexte pour se dépêtrer de cette affaire est qu'ils étaient mariés. Cela signifierait qu'il peut aussi coucher avec la femme qui lui détartre les dents? Et quid de celle qui bosse au labo photo? J'espère qu'il ne va pas à la réunion des anciens de son lycée. D'ailleurs peu importe, à vrai dire, s'il est toujours amoureux de toi. Il t'a donné un indice tout à fait révélateur de ce qu'il pense de votre couple. La grande question, c'est : peux-tu encore être amoureuse de lui?

Difficile de reprocher à un homme d'avoir des sentiments. On s'aime, on se sépare; les sentiments, eux, restent. Dieu merci, à vrai dire. Pour autant, ils ne font pas du lit un passage obligé. Cette option implique d'en tirer parti de manière à se retrouver seul avec sa chérie, la déshabiller, l'embrasser et lui faire toutes sortes de choses inhérentes à un rapport sexuel. Vive les sentiments – mais gardez-les donc dans votre pantalon.

! simple comme bonjour !

Vous vous êtes engagés ensemble dans une relation exclusive. En vous trompant, votre compagnon a résolu de ne pas respecter de manière flagrante cette décision capitale prise à deux ; en choisissant de le faire à votre insu, il injecte le mensonge et le secret dans votre couple.

Appelons l'infidélité par son nom : un abus total de confiance. Les adultères sont des gens à problèmes qui tâchent de les résoudre au détriment de votre temps, et de votre cœur. Certains vous donneront une excuse, d'autres n'en auront aucune, d'autres encore essaieront de vous faire porter le chapeau. Personne ne peut vous indiquer quoi faire face à une situation aussi complexe et douloureuse. Mais, au final, est-ce cela que vous attendez d'une relation ?

Pourquoi c'est si difficile, par Liz

Au cours de ma vie, deux hommes ont admis avoir couché avec une autre au début de notre relation (pour l'un, j'en avais rêvé, littéralement, et j'ai obtenu ses aveux, là il a vraiment flippé). Dans les deux cas j'ai compris que ces types voulaient m'avertir qu'on ne pourrait jamais leur faire confiance. A peine engagés dans une histoire commune, ils avaient déjà pris la tangente.
Le début d'un couple est un moment fragile, précaire. Rien de tel qu'une bonne dose de cocuage pour éteindre la flamme d'un amour naissant. Moi, je serais incapable de le surmonter, alors la réponse me paraît évidente. En faisant appel à mon imagination, je me rends compte qu'au début les limites semblent plutôt floues, les règles encore en suspens. Il s'agit peut-être de la dernière aventure avant l'engagement effectif. De plus, la relation n'est pas assez avancée pour déterminer si le type se libère d'un poids et s'il s'en tiendra là, ou si c'est tout simplement un salaud.
Le voilà, le problème : vous vivez des expériences intimes avec, au final, un parfait inconnu dont vous

ne connaissez ni le code d'honneur personnel ni le casier sentimentalo-judiciaire. Vous devez vous fier à votre instinct, à votre degré d'affection et à ce qu'il a à dire pour sa défense. Qu'il est donc triste d'avoir à discuter de ce genre de choses au début d'une relation, quand l'heure est censée être aux câlins et à la tendresse, et que les tourtereaux se tiennent d'ordinaire à carreau. Faute de pouvoir choisir, je nous souhaite mieux à toutes. De tout cœur.

♀ Ce que ça devrait donner en pratique, par Liz

Une de mes amies m'a raconté cette anecdote : elle avait rendez-vous avec un homme qui lui plaisait ; le type lui a posé un lapin, puis l'a appelée pour offrir une excuse quelconque et la supplier de lui pardonner. Elle lui a répondu d'aller se faire voir en ajoutant qu'il avait saboté sa seule et unique chance. Imaginez le sort qu'elle aurait réservé à un petit ami infidèle...

PS : On peut dire qu'elle a ouvert la voie pour le suivant, qui a assuré, l'a épousée et la traite comme une reine.

Greg, j'ai compris ! par Adele, 26 ans

Je sortais avec un type qui m'attirait beaucoup, musicien dans un groupe local. Au bout de quelques semaines, il m'a avoué avoir couché avec une fille après l'un de ses concerts. Autrefois, fréquenter un musicien m'aurait tellement plu que j'aurais sûrement passé l'éponge et fait mine d'oublier toute l'affaire. Cette fois, je lui ai dit que ça ne posait pas de problème, qu'il avait le droit de faire ce qu'il voulait mais qu'il pouvait toujours courir pour me revoir. Et j'ai trouvé ça génial !

Si vous ne croyez pas Greg

100 % des hommes interrogés ont assuré n'avoir jamais couché avec une femme « par accident » (mais nombre d'entre eux ont voulu savoir comment ce genre d'accident pouvait se produire, et comment s'y retrouver impliqué).

Ce qu'il faut retenir de ce chapitre

- ✓ Tromper est inexcusable. Je répète : tromper est inexcusable. A vous maintenant : tromper est inexcusable.
- ✓ Votre seule responsabilité, dans le manque de discernement d'un autre, est vis-à-vis de vous-même.
- ✓ Tromper c'est tromper – peu importe avec qui ou combien de fois.
- ✓ Plus on pratique, plus tromper devient facile. Seul le premier pas coûte, car l'aiguillon de la morale et la culpabilité à la pensée de trahir votre confiance se font encore sentir.
- ✓ Rien ne réussit aux trompeurs (vu qu'ils sont à chier).
- ✓ C'est le trompeur le premier trompé, puisqu'il ne profite pas de vous.

Notre cahier d'exercices super-génial et super-utile

Voici ce que votre homme pourrait faire si votre relation le frustrait (remarquez qu'aucune de nos cinq suggestions n'inclut d'aller voir ailleurs).

1. En parler.
2. Le raconter dans un livre.
3. Le raconter dans une chanson.
4. Le raconter dans un mail.
5. Le raconter dans un spectacle de marionnettes.

Dressez ici la liste de vos propres recettes (d'accord, nous avons raflé les plus faciles, toujours est-il que vous pouvez en trouver au moins cinq autres).

1.
2.
3.
4.
5.

Lisez-les, riez un bon coup, larguez-le. Je n'ai pas à vous dicter vos choix, bien entendu. Mais larguez-le.

6

Il te mérite pas s'il préfère t'éviter quand il est sobre

Si tu lui plais, il voudra être en possession de toutes ses facultés pour te voir

C'est vraiment sympa de boire lors d'un rendez-vous. Qui n'aime pas apporter de quoi picoler à la grande fête de la drague ? Cela peut doper votre confiance en vous et, voyons les choses en face, l'assurance est un stimulant qui aide à raconter des trucs cochons. Très bien, tant que vous ne confondez pas briser la glace et être véritablement intimes. L'ivresse et le trip sont des états de conscience altérée susceptibles de vous couper des sentiments réels. Sachez que si Bourré le Clown doit enfiler son nez rouge dès que l'ambiance vire à l'intime, ce pourrait être le symptôme d'un problème plus grave.

L'excuse « Mais je l'aime comme ça »

Cher Greg,

Ce que tu es nul ! Mon mec, le réalisateur de clips ? Il adore boire. Avec son travail super-exigeant il a besoin de se détendre. Et quand il boit il est très démonstratif, il me dit plein de choses formidables sur son affection pour moi. Je trouve ça génial ! Certaines personnes trouvent dans l'alcool le courage de partager ce qu'elles ressentent. Je ne vois pas où est le problème. En fait, je ne vois pas où est le problème de se soûler après le boulot. C'est sympa, c'est comme faire tout le temps la fête. Question travail, il assure. C'est juste un mauvais garçon, et moi j'aime les mauvais garçons ; ils sont excitants. Si tu t'en méfies, tu es trop coincé.

Nikki

DU BUREAU DE GREG

Chère Nikki,
Nikki, Nikki, je sais que tu le trouves super. Tu adores quand, accoudé au bar, il te dit : «Oh chérie tu es si belle» d'une voix traînante d'ivrogne, ou peut-être même son interprétation irrésistible de «Je t'aime tant, tu es la meilleure chose qui me soit arrivée dans la vie, ma puce» tandis qu'il t'enlace un peu trop fort. Je peux comprendre que ses proclamations d'amour dégoulinantes d'alcool et de sueur fassent battre ton petit cœur. Nikki, sois consciente de ceci : il ne faut pas prendre pour argent comptant tout ce que raconte un type soûl. Crois-en un ancien «mauvais garçon»: les «mauvais garçons» sont mauvais parce qu'ils ont de gros problèmes, du style défaut d'amour-propre, trop-plein de colère refoulée, dégoût de soi excessif, manque de confiance en toute forme d'amour. En revanche, oui, ils ont des fringues classe et souvent une voiture à tomber. L'homme idéal pour toi, pas vrai, Nikki ?

Mesdemoiselles, ne laissez pas votre besoin d'amour et de tendresse embrumer votre cerveau (comme un grand verre de whisky). Si vous avez la chance de ne pas vivre le drame éprouvant d'être mariées à, de vivre avec ou d'avoir pour père un alcoolique, et que vous fréquentez par le hasard des choses un homme dont la consommation d'alcool vous inquiète, prenez garde. Vous ne méritez pas seulement un petit ami affectueux et attentionné ; vous le méritez affectueux, attentionné, et sobre.

L'excuse « Au moins il ne donne pas dans les drogues dures »

Cher Greg,
Mon ami est avocat et il se trouve qu'il fume de l'herbe tous les soirs. Défoncé ou non, il se comporte et parle de la même façon. Il est étrange, je suppose, que lui se drogue et moi pas, pourtant cette situation ne semble pas nous poser problème. Mes amis trouvent bizarre que je fréquente un amateur d'herbe,

mais quelle importance puisqu'il n'agit pas réellement en toxico? Je ne vois pas le rapport avec ce qu'il éprouve envers moi. Pas vrai?

Shirley

DU BUREAU DE GREG

Chère Ça Plane Pour Moi,
Faux ! Voici un petit laïus expliquant les effets de l'herbe sur le cerveau. Fumer de l'herbe ralentit les fonctions cérébrales, déphase par rapport à son environnement et rend plus introverti. Cela émousse également les sens, déforme et trouble la perception de la réalité. Ainsi, il est toujours défoncé en ta compagnie - ce qui revient à dire que moins il te perçoit, plus il t'apprécie. Tu sors avec un homme qui ne t'aime pas en intégralité, donc il te préfère lorsque tu te trouves dans une autre pièce - sans signifier pour autant qu'il n'est pas fou de toi. Simplement qu'entre son herbe et sa copine, il a choisi. Au fait, si jamais il était arrêté pour détention de drogue, on lui

retirerait sûrement sa licence - les criminels n'ont pas le droit d'être inscrits au barreau. Au moins tu n'es pas seule puisque, entre l'herbe et son travail, il a choisi aussi !

Ne vous laissez pas duper. Sous prétexte qu'il ne s'écroule pas comme un vulgaire poivrot et ne se pisse pas dessus, ne lui permettez pas de prendre une cuite chaque fois que vous êtes ensemble et de s'en tirer à bon compte. Cela s'appelle être ivre, donc se défiler, et ce n'est toujours pas ce qu'il vous faut.

! simple comme bonjour !

La vie est parfois difficile, incroyablement cruelle. Si vous recherchez un partenaire avec qui partager la vôtre, il vaut mieux choisir un homme capable de faire front en pleine possession de ses moyens.
Notez bien ceci : vous remarquez une augmentation dans votre propre consommation d'alcool ou de drogue lorsque vous êtes avec Monsieur Lefêtard ? Attention. Il ne s'agit pas d'une situation du genre « A Rome, fais comme les Romains ». Vous soûler ne résoudra en rien le vrai problème : lui.

♀ Pourquoi c'est si difficile, par Liz

Allez savoir pourquoi, j'ai fréquenté pas mal d'alcooliques. Ou, comme je l'aurais sûrement dit à l'époque, des « types qui aiment beaucoup boire ». J'en ignore la raison. Il n'y a pas d'alcooliques dans ma famille. Moi-même, picoler, bof. Je me dis que je devais les trouver **amusants.** J'ai adoré la fois où mon petit ami est monté au sommet du réservoir d'eau pendant les noces d'une copine, qui se déroulaient sur le toit de son immeuble, et où il s'est fichu à poil devant les invités. J'ai trouvé ça hilarant. Et la fois où, soûl, il a allumé un paquet de pétards dans sa cuisine rien que pour me faire rire. Irrésistible, vraiment. J'ai particulièrement apprécié la fois où il a disparu une semaine entière et où j'ai découvert, après des coups de fil en pagaille, qu'il était retourné chez son ex.

Je suppose qu'une grande partie des alcooliques présentent les traits de caractère qui me séduisent le plus chez un homme. Ceux que j'ai fréquentés brillaient tous par leur tempérament spontané, déluré, passionné, pénétrant, créatif, inconstant, instable, insensible, malhonnête et un peu agressif. Ce que j'ai pu les aimer !

Alors qu'y a-t-il de si problématique ? Pas grand-chose. Sauf, bien sûr, le rôle capital joué par l'alcool au tout début d'une idylle. Le premier baiser, le premier rapport sexuel... la plupart des relations ne décolleraient jamais sans l'aide de quelques verres de vin, et il n'y a rien de mal à ça. Je suis également sortie avec d'anciens alcooliques et vivre ces grands moments sans une seule goutte, croyez-moi, c'est rude. Mais aussi, en quelque sorte, fantastique. L'amour s'adapte très bien à la sobriété.

Nous devons donc faire la différence entre « un ou deux verres pour détendre l'atmosphère » et un abus constant. Reçu cinq sur cinq. Greg veut aussi s'assurer que nous fuirons comme la peste tout pilier de bar ou drogué qui croiserait notre chemin. Je trouve ça raisonnable, non ?

D'accord, Greg. On s'abstiendra. Promis.

♀ Ce que ça devrait donner en pratique, par Liz

Je connais un homme d'affaires prospère qui se soûlait tous les soirs de la semaine, et parfois même le matin. Comme ses copines désapprouvaient, il s'efforçait de réduire sa consommation. Le jour où il a rencontré la femme de ses rêves, qui ne supportait pas cette habitude, il a arrêté l'alcool illico. Depuis il passe ses journées complètement sobre, et en est très heureux.

Greg, j'ai compris ! par Nessa, 38 ans

Je fréquente un homme qui me plaît beaucoup. Nous nous sommes rencontrés lors d'une fête, ivres l'un comme l'autre. Nous sommes ensuite sortis ensemble. J'étais tellement nerveuse en sa compagnie (parce que j'en pinçais vraiment pour lui) que je buvais plus qu'à mon habitude. Comme il a une bonne descente, j'essayais simplement de le suivre.

J'ai fini par me rendre compte que nous nous soûlions à chacun de nos rendez-vous. D'ordinaire, je n'aurais rien dit et j'aurais laissé passer, mais cette fois-là j'ai trouvé le cran de parler. Il m'a écoutée et a accepté une sortie « sobre ». Au début on sentait la gêne, puis ç'a été formidable. Je suis ravie d'avoir osé élever la voix !

Si vous ne croyez pas Greg

100 % des hommes interrogés ont assuré n'avoir jamais vomi dans le lit d'une femme dont ils étaient vraiment fous (apparemment ces types n'ont aucun sens de la fête).

Ce qu'il faut retenir de ce chapitre

- ✓ S'il ne le dit pas en étant sobre, ça ne compte pas. Un « Je t'aime » (ou toute formule semblable) prononcé sous l'influence d'un liquide plus fort que du jus de raisin ne tiendra pas au tribunal, ni dans la vie.
- ✓ L'alcool et la drogue ne mènent pas droit aux sentiments les plus intimes de quelqu'un. Si c'était vrai, les gens ne s'écraseraient pas des canettes de bière vides sur le crâne et ne se mettraient pas les doigts dans les prises électriques, histoire de vérifier ce qu'ils ressentent.
- ✓ S'il veut vous voir, vous parler, coucher avec vous, etc., seulement quand il est ivre, ce n'est pas de l'amour – c'est du sport.
- ✓ Les mauvais garçons sont bel et bien mauvais.
- ✓ Vous méritez un homme qui n'a pas besoin de se bourrer la gueule pour apprécier votre compagnie.

Notre cahier d'exercices super-génial et super-utile

L'alcool coule souvent à flots au début d'une relation. Il peut même être difficile de concevoir que vous n'avez jamais vu votre copain sobre. Ou de décider si cela pose ou non problème (à vous). Nous vous offrons donc un petit calendrier. Coloriez le nez du clown chaque fois que vous voyez votre homme dans un état second (causes en vrac : herbe, décontractants musculaires, gaz hilarant, sédatifs, tranquillisants, trop de bière). Vous seule pouvez dire stop ou encore, mais au moins vous pourrez regarder la réalité en face, noir sur blanc.

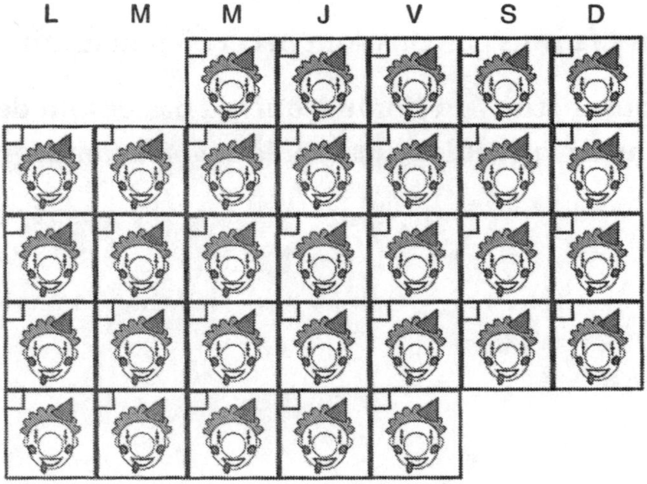

L M M J V S D

7

Il te mérite pas s'il ne veut pas te passer la bague au doigt

L'amour, remède contre la phobie de l'engagement

Souvenez-vous de ceci : tous les hommes croisés dans votre vie qui ont affirmé ne pas vouloir se marier, ne pas croire au mariage ou y être « allergiques », ces hommes se caseront un jour, soyez-en certaines. Mais pas avec vous. Car ils ne déclarent pas vraiment qu'ils s'y refusent ; ils insinuent en fait qu'ils s'y refusent **avec vous**. Il n'y a pas de mal à rêver de passer par l'autel, il ne faut pas se sentir pour autant honteuse, casse-pieds, « rétrograde ». Portez dès le départ votre choix sur un type qui partage vos perspectives d'avenir et, dans le cas contraire, larguez les amarres aussi vite que possible. Des plans d'envergure appellent des actes d'envergure.

L'excuse « En ce moment il tire le diable par la queue »

Cher Greg,
Mon ami et moi vivons ensemble depuis trois ans. Je vais sur mes trente-neuf ans et j'ai commencé à tâter le terrain pour des plans à long terme du genre, mettons, mariage. Il semble toujours ouvert à mes suggestions puis embraye sur l'état désastreux de ses finances. Il est banquier d'affaires et travaille en indépendant. Ces deux dernières années il a perdu beaucoup d'argent, par la même occasion de nombreux clients, et sa boîte part à vau-l'eau. Il m'explique qu'il est vraiment sous pression. Dis-moi si j'exagère de vouloir savoir où tout cela nous mène.

Barbara

DU BUREAU DE GREG

Chère Cocotte-Minute,
Surtout ne dis rien, pas un mot. Fais-toi toute, toute petite. Tu devrais peut-être même penser à déménager pour ne pas le gêner durant cette période cruciale. N'oublie pas qu'il est l'Homme le plus Important au Monde, que son affaire coule et que l'univers entier s'arrache les cheveux. Mais qu'est-ce que tu crois, ma belle ? Bien sûr que tu devrais savoir où tout cela vous mène. Tu ne fais donc aucun cas de toi, ni de ton temps ? Un investissement de trois années te donne le droit de demander ce que l'avenir te réserve, n'importe quel banquier digne de ce nom en conviendra. Tout le monde a perdu de l'argent ces deux dernières années ; la Bourse s'est effondrée et l'économie se casse la gueule. Pourtant, rends-toi compte, un grand nombre de gens ont réussi à se marier. Vous avez tous deux la trentaine bien tassée, vous vous fréquentez depuis trois ans et il ne te supplie pas de devenir sa femme ? Laisse-moi te filer un bon tuyau : Monsieur Dow Jones ne te mérite pas.

Sur le plan financier, le moment idéal pour vous marier ne viendra jamais – sauf si vous êtes un basketteur multimillionnaire ou une vedette du petit écran. Malgré cela, le commun des mortels se débrouille. Si votre copain vous donne l'argent comme prétexte pour refuser de vous épouser, cela signifie que c'est votre relation qui bat de l'aile, pas son compte en banque.

L'excuse « Pauvre chou, il se fait exploiter »

Cher Greg,
Mon petit copain est assez riche — pas du niveau de Donald Trump, mais il est d'une famille fortunée et lui-même est un homme d'affaires avisé. Il a l'impression que, sa vie durant, les femmes ne se sont intéressées qu'à son argent. Dès que les relations passaient le cap des deux ou trois mois, il les sentait se mettre en mode « mariage ». Je ne suis pas comme ça : je travaille, je gagne ma vie, je ne

lui demande jamais d'argent. Je l'aime, tout simplement. J'ai trente-cinq ans, nous nous fréquentons depuis trois ans et vivons sous le même toit depuis deux. Nous n'abordons jamais ce sujet – jamais. D'après mes infos, il a tendance à rompre de manière systématique aussitôt qu'il est question de mariage. Mais il sait forcément que je ne suis pas comme les autres. Pourtant, je me rends bien compte qu'avoir de l'argent doit faire bizarre, donc j'essaie de me montrer compréhensive. La peur de se faire mener en bateau peut-elle vraiment être aussi forte ? Ou est-ce qu'il ne tient pas vraiment à moi ?

Arlene

DU BUREAU DE GREG

Chère Tu Roules Sur l'Or Et Tu Ne Le Sais Même Pas,
Donc, maintenant, c'est l'excès d'argent qui présente un obstacle. Mais qu'allez-vous nous inventer la prochaine fois, petites

malignes ? De nouveau, au risque de me répéter : tu as le droit de poursuivre des rêves et de savoir si la relation dans laquelle tu t'impliques te permettra de les atteindre - ou de signer leur arrêt de mort. Aucune somme d'argent au monde ne peut te racheter cette liberté. Ne pas aborder la question du mariage de peur que ce type te lâche signifie tout simplement qu'il détient non seulement l'argent, mais aussi le pouvoir. Ce qui, pour ma part, m'écœure, car personne ne devrait avoir une veine pareille. Ne te laisse donc pas intimider par ses pelletées de pognon ou sa ribambelle de casseroles sentimentales. Essaie plutôt de savoir si l'amour de Monsieur Plein Aux As tiendra la distance et n'accepte absolument aucune de ses excuses de pauvre petit garçon riche.

Vous hésitez quant au meilleur moyen de soulever le lièvre du mariage face à un type dont vous partagez l'intimité depuis un certain temps ? A mon avis, ça s'annonce mal. La plupart des hommes, ou disons les hommes que je veux vous voir fréquenter, s'arrangeront dès que possible pour vous prouver leur sérieux. Dans le cas contraire, fuyez à toutes jambes ces sentiments contradictoires et ces chicanes. Puis, dès que vous vous sentez prêtes, trouvez-vous un homme qui se préoccupera assidûment de vos sentiments à vous.

Le dilemme « Est-ce vraiment une excuse ? »

Cher Greg,
J'ai trente-trois ans et je vis depuis deux ans avec mon compagnon. Nous sommes amoureux, nous nous entendons à merveille, il se montre formidable envers moi. S'engager ne lui pose aucun problème – il ne veut tout simplement pas m'épouser. Comme il s'est marié jeune et a divorcé aussitôt, il déclare ne pas vouloir gâcher notre relation. Il semblerait absurde de le quitter pour cette raison. Nous faisons notre vie à deux, le bonheur est au rendez-vous. Il veut même

avoir des enfants. Le seul hic, c'est le côté officiel. Donc je crois qu'il tient vraiment à moi, mais pas au mariage.

Lindsey

DU BUREAU DE GREG

Chère Madame Droit Civil,
Bon, cela va provoquer une controverse mais je me lance : son divorce a eu beau le traumatiser (et je sais qu'un divorce peut être extrêmement traumatisant), l'homme avec lequel tu comptes passer le reste de tes jours et avoir des enfants devrait t'aimer assez pour s'en remettre, si le mariage te tient à cœur. Toi seule peux juger si votre relation dépend de cette question ; je n'ai pas le droit de te dire qu'il vaut mieux le quitter alors que vous êtes heureux ensemble, que votre couple fonctionne. A toi de voir. D'accord, je n'ai jamais divorcé, mais j'épouserais ma femme dans tous les fuseaux horaires d'affilée, à la seconde où elle me le demanderait. Mon opinion, très conventionnelle, c'est qu'un pied dedans équivaut à un pied dehors.

Le mariage est une tradition qui nous a été en quelque sorte imposée, et il a ses détracteurs. Quoi qu'il en soit, si un homme s'y oppose aussi fermement que vous le prônez, assurez-vous que cette aversion ne cache pas autre chose.

L'excuse vieille comme le monde « Je ne suis pas prêt »

Cher Greg,
Je fréquente le même homme depuis mes vingt-trois ans ; maintenant j'en ai vingt-huit. Nous avons commencé à parler mariage il y a deux ans et il m'a confié ne pas être prêt. Nous nous sommes donc installés ensemble pour l'aider à se « préparer ». La question a resurgi récemment et il n'était toujours pas décidé. Il m'a rappelé que nous étions jeunes, que nous avions encore tout le temps et qu'il était inutile de nous presser. En un sens, il a raison : je n'ai que vingt-huit ans et de nos jours on se marie beaucoup plus tard. Il arrive aussi que les garçons manquent de

maturité par rapport aux filles. Je veux bien me montrer compréhensive mais je ne sais pas combien de temps je suis censée attendre. A-t-il vraiment besoin d'un délai ou repousse-t-il l'échéance ?

Danielle

DU BUREAU DE GREG

Chère Plantée Au Pied De l'Autel,
Il a raison : pourquoi se presser ? Cela ne fait jamais que cinq ans. Il te connaîtra tellement mieux à la fin d'un second quinquennat. Et tu as tout le temps devant toi, pas vrai ?, si d'aventure il restait indécis au bout de dix ans. Désolé de te l'annoncer, mais voici la cause de son embarras : il n'est toujours pas sûr que tu sois la bonne. Ouais, ma jolie, je sais que ça fait mal, mais mieux vaut l'apprendre aujourd'hui que dans dix ans. Tu peux donc choisir de rester avec lui et de continuer à auditionner pour le rôle de l'heureuse épouse, ou partir à la recherche d'un type qui ne laissera pas passer une ou deux décennies avant de s'apercevoir que tu es la perle rare.

« Je ne suis pas prêt ». L'excuse la plus éculée du répertoire, mais qui fait mouche à chaque fois. Les femmes adorent attendre que les hommes soient prêts. Une de vos activités de prédilection, vu le temps que vous y consacrez. Et l'ironie me semble d'autant plus savoureuse que vous êtes dotées d'une horloge biologique censée rappeler que le temps file. Nous connaissons tous un homme et une femme qui se fréquentent depuis cinq, que dis-je, huit ans, et qui ne sont toujours pas mariés ; nous savons que les choses tournent immanquablement au vinaigre pour ces deux-là. Alors pourquoi ne pas arrêter les frais – et vous mettre en quête de celui qui brûle d'impatience de vous aimer ?

L'excuse « Il lui faut juste un modèle valable »

Cher Greg,
Tu délires. Mon copain, tu te souviens, le réalisateur de clips ? Il dit qu'il ne croit pas au mariage, à cause de sa tarée de mère j'imagine (elle est folle à lier, Greg) et du

mariage foireux de ses parents. Je fais mine de rien car je sais qu'il se rendra bientôt compte que je ne suis pas sa mère et qu'il me demandera un jour de l'épouser. Moi-même, je ne suis pas encore prête, de toute façon.

Nikki

DU BUREAU DE GREG

Chère Nikki,
Quel dommage que tu ne sois pas prête à convoler avec ton Spielberg du vidéoclip, parce que vous semblez bâtir ensemble une relation durable et enrichissante. Sérieusement, j'admire les mecs qui annoncent sans détour la couleur à leur copine. C'est vrai, on ne peut pas leur reprocher de ne pas jouer franc jeu. Écoute, Nikki, ce type ne risque pas de remonter une allée de sitôt, sauf pour aller chercher sa statuette de meilleur réal' de l'année sur MTV. Mais n'hésite pas à lui rappeler que tu n'es pas sa mère. En fait, serine-lui ça à toute heure, comme un disque rayé. Il va adorer.

Pour un type bien, rencontrer enfin la femme de sa vie est un véritable événement. S'il en est sincèrement convaincu, pas de risque que l'idée de signer avec elle pour le restant de ses jours lui répugne. Je le dis, c'est tout.

simple comme bonjour !

Pourquoi ce complexe et cet embarras gêné, les filles ? Il n'y a aucune honte à vouloir se marier. Il n'y a aucune honte non plus à demander à un homme s'il s'imagine marié, voire marié à vous. De très nombreux hommes veulent et se préparent à se marier ; sinon pourquoi y aurait-il autant de fleuristes, de prêtres et de fabricants de tulle ?

PS : Ne consacrez pas votre temps, ni votre cœur, à un type qui vous laisse un tant soit peu dans le vague quant à ses sentiments.

♀ Pourquoi c'est si difficile, par Liz

Le mariage, pour beaucoup, c'est de la foutaise. Nombre de femmes, d'hommes, de philosophes, d'anthropologues, de psys, de féministes et de scientifiques le considèrent, pour diverses raisons, comme une institution archaïque, minée en profondeur, vouée à l'échec. Lancez une pièce au hasard, elle atterrira forcément sur quelqu'un qui sera ravi de déblatérer sur le mariage.

Le dossier paraît donc épais ; en revanche, est-ce vraiment le sujet de ce chapitre ? A mon avis, non. Je pense que certains hommes veulent nous convaincre que le débat porte là-dessus, mais parlons clairement, l'objet de notre intérêt est le suivant : débite-t-il des excuses boiteuses et bidon pour dissimuler qu'il n'envisage pas un seul instant un avenir commun ?

Question épineuse s'il en est – et les femmes ne sont pas nées de la dernière pluie. Si elles se tenaient tranquilles, arrêtaient de gober des âneries, cessaient de croire ce qu'elles veulent bien croire ou d'entendre ce qu'elles veulent entendre et se concentraient enfin sur le problème, je pense qu'elles trouveraient aussitôt la réponse. Elles sauront toujours distinguer un simple minable d'un homme qui se méfie avec raison du mariage, mais qui s'investit à 100 % dans sa relation. Voilà pourtant la grande difficulté : on a vite fait de se sentir bête de vouloir se marier, surtout lorsqu'on fréquente un homme que cette idée laisse froid. Vous êtes si heureux ensemble, pourquoi tant d'histoires ? Puisque vous vivez comme mari et femme, où est le problème ? Au diable l'opinion de vos proches – ce sont eux qui partagent votre existence, peut-être ? Toutes vos copines se casent, et cela vous obligerait à faire pareil ? Bon sang, vous vous fichez de qui vous épousez, on dirait. Seul le statut de femme mariée vous intéresse.

Ce sont des arguments recevables. Regardons les choses en face, le mariage n'a pas vraiment bonne presse depuis quarante ans. Et franchement, pour certaines, peu importe le mari pourvu qu'elles se fassent passer la bague au doigt. Mais nous nous écartons à nouveau du sujet. Avant d'entrer dans un débat socio-politico-anthropologique sur le mariage en tant que contrat financier obsolète, blablabla, posez-vous quelques questions capitales. Des questions auxquelles seule vous pouvez répondre, dans vos moments de lucidité les plus intenses : vous sentez-vous sincèrement aimée ? Le sentez-vous investi à 100 % ? Le sentez-vous réticent à fonder un foyer avec vous ? Si vous alignez oui, oui et non, alors ouvrez le débat, parce qu'il pourrait avoir de bonnes raisons. Mais s'il donne l'impression de vous cacher quelque chose, si vous trouvez que vous dépensez beaucoup d'énergie à essayer de changer avec l'idée de le rendre plus heureux, alors quittez-le et allez de l'avant. Ne le laissez pas vous persuader que rechercher l'amour est une marque de bêtise.

♀ Ce que ça devrait donner en pratique, par Liz

Une de mes amies venait de se mettre en ménage avec son compagnon, qui avait tout quitté pour elle. Nous nous sommes retrouvés pour boire un verre ensemble. La conversation a dévié sur le mariage et le copain s'est lancé dans une diatribe passionnée en expliquant qu'il n'y croyait pas : il avait grandi dans un milieu où la pression sociale était infernale et où il n'avait vu que des couples malheureux, hypocrites. Sa réaction violente a surpris et franchement peiné mon amie. Sans être obnubilée par le mariage, elle avait toujours envisagé cette possibilité. Elle a bien réfléchi et s'est aperçue qu'elle voulait juste vivre aux côtés de cet homme, qui avait tout envoyé promener pour la rejoindre. Elle s'est habituée à l'idée qu'elle ne se marierait jamais. Un an plus tard, il lui a demandé sa main parce qu'il sentait combien il l'aimait et combien ce geste comptait pour elle.

Greg, j'ai compris ! par Sandi, 33 ans

Je fréquentais un homme depuis un an et demi. De temps à autre nous abordions la question du mariage, et un jour je me suis rendu compte que c'était toujours moi qui mettais le sujet sur le tapis. « Bien sûr, répondait-il en permanence, tu es mon âme sœur, je t'adore, je t'aime plus que quiconque, etc. » Lorsque je lui ai demandé direct : « Tu veux m'épouser ? », il a déclaré : « Oui, j'aimerais bien. » Ç'a été la révélation : je n'avais jamais entendu les mots « Je veux que tu deviennes ma femme » sortir de sa bouche. Le jour même, sans rire, je l'ai plaqué. Inutile de dire que je suis beaucoup plus heureuse maintenant que je fréquente des types qui s'étonnent dès la première semaine : « Ouah, je n'arrive pas à croire que tu ne sois pas mariée. Tu es sensationnelle. »

Si vous ne croyez pas Greg

100 % des hommes sondés ont assuré que conduire à l'autel celle qu'ils tiendraient pour l'amour de leur vie ne leur poserait aucun problème. L'un d'eux a même répondu : « Quel crétin y trouverait à redire ? »

Ce qu'il faut retenir de ce chapitre

- ✓ « Ne veut pas se marier » et « Ne veut pas se marier avec moi » ne signifient pas la même chose. Vérifiez à quelle catégorie il appartient.
- ✓ Si vos avis divergent sur le mariage, sur quoi êtes-vous aussi en désaccord ? C'est le moment de dresser l'inventaire.
- ✓ Si vous n'avez pas l'impression de le bousculer, pourquoi attendez-vous ?
- ✓ Nikki est folle.
- ✓ Quelque part, il y a un homme qui veut faire de vous sa femme.

Notre cahier d'exercices super-génial et super-utile

Notez combien de temps s'est écoulé avant que germe dans votre esprit l'idée d'épouser un jour votre copain actuel.

Notez combien de temps s'est écoulé avant que votre idée se transforme en certitude.

Voyez si cette durée paraît raisonnable. Dites-vous ensuite qu'il n'a aucune excuse de ne pas avoir été lui aussi frappé par cette révélation.

8

Il te mérite pas s'il décide de te quitter

« Je ne veux pas sortir avec toi » ne signifie rien d'autre que ça

Toute femme aspire à être aimée et désirée, en particulier par l'homme qui a pris la décision de rompre. C'est compréhensible : quel plaisir d'entendre, à l'autre bout du fil, le type qui vient de vous balayer de sa vie parler sur un ton tristounet, avec des trémolos de regret dans la voix ! Qu'y a-t-il de plus flatteur, de plus excitant, de plus irrésistible ? Et pourtant il vous faut résister. Tenez-vous-le pour dit : s'il ne vous appelle pas pour vous annoncer qu'il a loué un semi-remorque pour ramener toutes vos affaires chez lui, c'est qu'il voit en vous un charmant petit coussin rembourré le protégeant de la solitude et du vide, qu'il n'est pas encore prêt à affronter seul.

L'excuse « Mais je lui manque »

Cher Greg,

Cela faisait deux ans que mon copain et moi on se fréquentait ; on vivait ensemble depuis un an. Après une série de disputes et de problèmes en tous genres, il a fini par me plaquer il y a trois semaines. J'ai dû déménager et, bien entendu, je suis effondrée. Le problème, c'est qu'il n'arrête pas de m'appeler pour des séances bavardage. Il demande des nouvelles de mes amis, de ma famille, il aime se tenir au courant des petits détails de ma vie, comme si nous étions ensemble. Toutes mes copines me conseillent d'y mettre le holà mais je crois que je lui manque, et ça me plaît. A moi aussi il me manque. J'ai l'impression que rester en contact lui rappellera combien je suis géniale et lui ouvrira les yeux sur son erreur. Qu'en penses-tu ?

Brenda

DU BUREAU DE GREG

Chère Souvenirs Revus Et Corrigés,
Je suis ravi qu'il aime entretenir le lien tout pareil qu'avant. Des potes qui accaparent le téléphone, on n'en a jamais trop, surtout maintenant que tu as un appareil et un appart' flambant neufs. Mets-le en attente et écoute-moi, miss : un homme désireux de sauver sa relation déplacera des montagnes pour retenir la femme qu'il aime. S'il ne t'appelle pas pour te dire qu'il t'adore et te supplier de revenir, c'est qu'il se pointe chez toi pour le proclamer en personne. S'il ne s'efforce pas de te séduire par une avalanche de rendez-vous, de fleurs et de poèmes, c'est qu'il est plongé dans ses manuels de conseil conjugal et se donne pour priorité de regagner le droit chemin. Et s'il reste bras croisés, peu importe qu'il t'aime, peu importe que tu lui manques, cela signifie en fin de compte qu'il ne tient pas à toi. Laisse donc le téléphone sonner et montre-lui un peu de quoi il se prive.

N'allez pas tirer fierté de lui manquer. Il est normal qu'il s'en morde les doigts ; le contraire est impensable. Cependant ce pleurnichard et le type qui vous a larguée ne font qu'un. Retenez bien ceci : vous lui manquez pour l'unique raison qu'il choisit, jour après jour, de ne pas être avec vous.

L'excuse « Mais on se sent vraiment plus libres »

Cher Greg,
Je suis sortie environ un mois avec un type qui a décidé de rompre en expliquant qu'il ne voyait rien de sérieux entre nous. Compréhensive, je l'ai bien pris. Lorsqu'il a voulu savoir si nous pouvions nous fréquenter en tant qu'amis, j'ai répondu bien sûr. Maintenant nous nous donnons rendez-vous quelque part puis allons chez lui pour coucher ensemble, exactement comme avant (la différence, c'est que nous avons « rompu »). Il est très, très gentil et j'adore faire l'amour avec lui. A mon avis je dois lui

plaire, vu qu'il ne peut pas se passer de moi. Et je trouve ça plutôt chouette : la pression s'est envolée, nous prenons du bon temps. J'ai pris le parti de m'en satisfaire et je ne vais pas attirer son attention sur le fait que nous sortons ensemble. A cette différence près que nous avons rompu.

Cheryl Lynn

DU BUREAU DE GREG

Chère Rompre ? Rien De Plus Facile,
Chapeau, ce type est fort. Il te fréquente, te quitte et continue à coucher avec toi, ce qui en gros l'absout de toute responsabilité envers tes sentiments. Après tout, vous ne sortez plus ensemble. Génial ! Diabolique ! C'est lui qui devrait écrire un livre, pas nous ! Je parie même qu'il pourrait fonder sa petite secte perso si l'envie lui en prenait. Et laisse-moi deviner... tu ne serais que trop ravie de t'y enrôler.
Mettons les choses au clair : ce type est loin de t'aimer au point de ne pouvoir « se passer de toi ». Voici la règle première

d'un mec incapable de se passer de sa chère et tendre : il ne rompt pas. Blague à part, celui-là est si peu fou de toi que c'en est dingue. La seule manière de t'en rendre compte, c'est de t'en débarrasser fissa.

Lorsque l'envie vous démange d'être avec un homme, la tentation est grande de vous contenter de moins, de beaucoup moins que tout ce que vous auriez pu imaginer – même d'un pathétique et fumeux ersatz. Mesdemoiselles, s'il vous plaît, concentrez-vous sur l'objectif. Gardez toujours à l'esprit ce que vous recherchez, et pas d'exigences à la baisse. Faites-le, sinon pour vous, pour les autres : ce genre d'individus se baladent en liberté parce que vous êtes trop nombreuses à le permettre.

L'excuse « Mais tout le monde le fait »

Cher Greg,
Nous y voilà : le sexe post-rupture. C'est chaud. Intense. Incroyable. Je perds la tête,

je suis folle de lui, je ne peux pas m'en empêcher. Je pensais que c'était permis, mais là ça me dépasse. Au secours.

Ileen

DU BUREAU DE GREG

Chère Si Tu T'en Rends Compte, Qu'est-Ce Que Tu Fous Encore Chez Lui ?,
Hé, chérie, lâche ce pénis, rhabille-toi et pique un sprint jusqu'à l'appart' de ta meilleure copine. N'invente pas d'excuse pour rester. Ne crois pas que faire des folies de ton corps prouve bien que vous êtes destinés l'un à l'autre. Oui, le sexe post-rupture peut apparaître comme une bonne idée sur le moment parce que c'est sympa de coucher avec un type que tu connais. Et c'est sympa de coucher avec un type qui provoque en toi ce maelström d'émotions. Tout prend une tournure très, euh, maelströmienne. Mais maintenant tu sais.
La confusion règne et tu te dégoûtes, car montre-toi réaliste, tu es une femme, et les femmes ne savent pas dissocier le sexe des

émotions (combien de fois vais-je devoir le répéter ? Je passe pour un vrai crétin !) A l'avenir plus question de commettre cette erreur, pigé ? Ce n'est pas de toi qu'il est fou, c'est de cette fumisterie travestie en bonne idée : le sexe post-rupture. Finito, par ici la sortie.

Ne sous-estimez pas le pouvoir de l'acte sexuel, même avec un partenaire de très longue date – **surtout** avec un partenaire de très longue date. Rompre signifie ne pas le revoir, y compris ne pas le revoir nu. Il s'avère tentant d'oublier cette perle de sagesse, mais pour mémoire, on n'appelle pas ça « sexe post-rupture » pour rien. Personne ne l'a encore rebaptisé sexe post-« oh mon Dieu c'était si bon qu'on s'est remis ensemble et qu'on nage dans le bonheur ».

L'excuse « Mais ensuite il veut qu'on se remette ensemble »

Cher Greg,
Mon petit ami est un spécialiste des ruptures à répétition. Il passe aussi son temps à m'appeler, à me supplier de me remettre avec lui, à m'assurer que je lui manque trop et qu'il se reproche sa bourde. Il m'a fait le coup à trois reprises ces six derniers mois. Ça m'exaspère mais je passe l'éponge à chaque fois, parce que je l'aime. Je me dis qu'il doit vraiment tenir à moi s'il me revient toujours, non?

Christina

DU BUREAU DE GREG

Chère Championne De Yoyo,
C'est marrant que tu retiennes les fois où ton copain se rapplique la queue entre les jambes quand moi je retiens celles où il t'a

claqué la porte au nez. Dans chaque cas, le total s'élève à trois, mais je parierais que le relevé des ruptures n'est pas terminé. Car malheureusement ce type met à profit ses récréations pour flairer ses chances ailleurs ; une fois bredouille, il se sent tout bête et rentre «à la maison». Ce n'est pas qu'il est raide dingue de toi, plutôt qu'il déteste se retrouver seul. Ne lui offre pas la chance de te quitter une quatrième fois (l'idée même semble indigne de toi, pas vrai ?). Fixe une limite à ta patience et va de l'avant.

Décider de se remettre ensemble présente un choix aussi complexe que difficile. N'oubliez pas qu'il n'y a pas si longtemps, l'homme à qui vous faites cette fleur a plongé son regard dans vos jolis yeux et pris la mesure de votre personne, de vos qualités, avant de vous annoncer qu'il se passerait désormais de votre compagnie. Si entre-temps votre prince charmant ne s'est pas fait enlever par des extraterrestres capables de lui greffer le cerveau d'un type qui, lui, vous mérite, envisagez un instant l'éventualité que ce minable s'est peut-être senti un tantinet solitaire.

L'excuse « Mais je suis une fille super-sympa »

Cher Greg,
Mon copain et moi nous sommes séparés il y a une semaine (c'est lui qui en a pris la décision). Comme il part quelques jours s'occuper de sa mère, qui va subir une opération, j'ai proposé de garder ses deux adorables chats et il a accepté. Je l'ai senti touché et impressionné que je m'en sorte si bien. Mes amies se moquent de ma faiblesse mais je les trouve mesquines. Nous sommes sortis trois ans ensemble ; je ne vais quand même pas, du jour au lendemain, arrêter de me soucier de lui ou de ses matous (que j'adore).

Dana

DU BUREAU DE GREG

Chère Folle Aux Chats,
Ne t'avise pas de continuer. Je vois clair dans ton jeu : si ce fiston dévoué ne s'est

pas rendu compte au bout de trois ans que tu es celle qui fera de sa vie le paradis sur terre, ce ne sont pas quelques conserves de bouffe pour minets qui l'en convaincront. Je te propose donc, à son retour, de l'extraire de ta vie par le miracle de la chirurgie. Remets-lui son trousseau de clefs et le numéro de la pension pour animaux qui publie l'annonce la plus sympa dans l'annuaire. Rendre service à droite à gauche ne te rétablira pas dans tes anciennes fonctions, mais tu y récolteras celle de bonne à tout faire.

Ne confondez pas « classe » et « chiffe molle ». « Classe », c'est partir la tête haute, avec élégance et dignité. « Chiffe molle », c'est proposer de le conduire chez le dentiste pour la pose de sa couronne.

L'excuse « Je n'accepte pas sa décision »

Cher Greg,
Mon copain, le réalisateur de clips, m'a larguée parce que c'est un beau connard, mais il a laissé des affaires chez moi et je ne veux pas les rendre parce que je sais qu'il va changer d'avis, donc je lui téléphone jour et nuit pour essayer de le convaincre et je suis sûre que ça va marcher parce que je sais qu'il m'aime vraiment et qu'il ne le pense pas, mais cet idiot réclame seulement son fichu Palm Pilot. Lorsqu'un mec dit tous ces trucs gentils à sa copine, l'emmène à des tas de fêtes branchées et la présente à ses copains trop cool, il ne change pas d'avis comme ça, d'un coup. On n'adore pas une fille un jour, et hop, le lendemain on se réveille et on la jette comme une vieille chaussette. Je suis à ramasser à la petite cuillère parce que je l'aimais vraiment. Tu ne me crois peut-être pas, Greg, mais c'est

la vérité vraie, j'aimais sa compagnie et depuis qu'il m'a quittée je reste au lit toute la journée à pleurer. Il a eu un coup de tête, rien de plus, et je refuse de croire qu'il ne m'aime plus.

Nikki

DU BUREAU DE GREG

Chère Nikki,
Je suis désolé qu'il t'ait plaquée. Je m'y attendais un peu, à vrai dire, mais le moment est mal choisi pour jubiler. Il te faut dès à présent y aller mollo sur le côté psychotique. Harceler un homme au téléphone et garder ses affaires en otage n'est pas le bon moyen pour le reconquérir. En fait, il n'y a pas mieux pour provoquer la réaction inverse : « Qu'est-ce que j'ai bien pu lui trouver, à cette hystérique ? » Où est passée la femme blindée d'assurance, à la volonté de fer ? S'est-elle métamorphosée en tarée servile ? En un mot, non, alors ça suffit, Nikki. Parfois on retourne sa veste, parfois on rencontre quelqu'un d'autre, parfois

encore on dessoûle (le tien buvait trop)... et parfois un crétin dont il vaut mieux se débarrasser se révèle dans toute sa splendeur (loin de moi l'idée de porter un jugement). Peu importe, car tu ne le feras pas changer d'avis. Nikki, je t'en prie, domine-toi : ce qui te hantera plus tard, ce n'est pas d'avoir perdu ton buveur invétéré-allergique au mariage-bourreau de travail-baudruche gonflée à bloc, mais ton comportement durant la rupture. Croix de bois croix de fer.

La règle d'or, mesdemoiselles : toujours la classe, jamais les crasses. En fait, on obtient deux préceptes simples, je le reconnais, mais croyez-moi, vous ne regretterez pas de les avoir adoptés. Pour la simple raison que, grâce à eux, vous ne compterez pas parmi vos souvenirs inavouables d'avoir lacéré les fringues de l'ingrat ou abandonné son chien sur le bord de la route...

! simple comme bonjour !

Un type vous déclare que c'est fini. Parfois il se rend compte qu'il a commis la plus grande erreur de sa vie ; parfois non. Dans un cas comme dans l'autre, il ne vous reste qu'à passer à autre chose, et presto. Il peut toujours vous cavaler après. S'il vous rattrape, il vous proposera une mise au point du genre « Remettons-nous ensemble », « Allons voir un conseiller », « Essayons encore », « Tu me manques. Je me suis trompé. Je veux être avec toi ». Ce qui ne ressemble guère à « Tu peux sortir le chien ? », « J'appelle pour voir comment tu vas », « Ça te dit, un ciné ? », « Tu veux m'accompagner au mariage du cousin Georges ? ».

♀ Pourquoi c'est si difficile, par Liz

Oh, comment est-il possible d'aimer un homme, d'être avec lui, de connaître sa famille, ses amis, chaque centimètre carré de son corps, de le voir nu tous les jours, de ressentir ça pour la première fois,

d'avoir l'impression que votre vie entière a évolué en mieux, d'accumuler des heures, des jours, des semaines de souvenirs heureux, de penser que vous allez passer le reste de votre vie ensemble, puis de découvrir tout à trac qu'il ne veut plus vous voir à partir de... demain ?
Alors qu'y a-t-il de mal à guetter une étincelle, une lueur, un signe d'espoir indiquant qu'il a peut-être changé d'avis ? Qu'en revenant à la raison il aurait pris conscience que vous êtes la femme de ses rêves, qu'aucune autre ne vous arrivera à la cheville, qu'il cherchera en vain quelqu'un avec qui il pourra nouer une relation aussi forte et aussi profonde, qui le comprendra aussi bien que vous ? Qu'y a-t-il de mal à cela ? Est-ce vraiment mal de continuer à lui adresser la parole, de le voir, de lui confectionner des gâteaux, lui acheter des cadeaux, lui graver des CD, nourrir son poisson rouge, discuter avec ses parents, appeler ses amis, écouter ses messages à la dérobée ?... je plaisante. Sérieusement, gérer une rupture d'une manière à la fois élégante, responsable et aimante, impliquant que les intéressés gardent le contact, restent amis, vont même au cinéma ensemble à l'occasion, peut-il poser problème ? Et courrait-on vraiment à la catastrophe si, par le plus

grand des hasards, ce comportement élégant et responsable avait pour effet secondaire de le faire revenir à la raison et prendre conscience que vous êtes la femme de ses rêves ? Serait-ce vraiment la cata ?
A mon avis, non. Je trouve ce plan intelligent mais décousu, alliant à merveille ruse et maturité. Je n'arrive pas à croire que dans toute l'histoire de l'humanité et des ruptures il n'ait jamais fonctionné. Qu'est-ce qui ne tourne pas rond chez ces mecs ?
Très bien. Une rupture, ai-je entendu dire, porte bien son nom : c'est une cassure, nette, brutale. Plus de discussions, plus de rendez-vous, plus de contact physique... gardez vos mains dans vos poches. La relation est finie. La moitié des gens que je connais déménagent après une rupture majeure et ce départ me semble parfaitement logique. Bien sûr, pour la plupart d'entre nous, rien de nouveau sous le soleil. Nous ne sommes pas censées coucher avec le type qui nous a brisé le cœur une semaine auparavant. D'accord. Mais que sommes-nous censées faire à la place ? Comment remplir nos journées si nous n'accomplissons pas l'impossible pour le reconquérir (tout en essayant de convaincre nos amies que nous ne levons pas le petit doigt), hein ?

Très bien. La prochaine fois que je me retrouve dans cette situation, je pleure. Je reste au lit à chialer. Je vais à la salle de sport si je peux. Je téléphone à toutes mes amies et les bassine avec mes jérémiades. Dors trop longtemps. Pleure encore un peu. Vais voir mon psy plus souvent. M'achète un chiot. Fais le nécessaire pour mettre cette histoire derrière moi. Bien. A ta guise, Greg. Tu ne m'enlèveras pas de la tête que mon stratagème pourrait marcher.

♀ Ce que ça devrait donner en pratique, par Liz

Je connais des gens qui ont vécu plusieurs années en couple avant de se séparer. Ils avaient de nombreux amis communs et tous ont mal encaissé cette rupture. Cinq ans plus tard, ils se sont remis ensemble et sont maintenant mariés. Durant la séparation il n'y a eu aucun rendez-vous, aucun coup de fil, aucune démonstration d'amitié. Chacun s'est abstenu de plonger l'autre dans la souffrance ou la confusion. Tous deux sont allés de l'avant, ont mûri chacun de leur côté et se sont alors rendu compte, bien plus tard, que vivre à nouveau ensemble était possible.

Greg, j'ai compris !
par Callie, 26 ans

J'ai récemment annoncé à mon ancien petit ami (nous avons rompu il y a six mois) que je fréquentais quelqu'un. Depuis, impossible de m'en débarrasser ! Il me téléphone sans arrêt, me demande de venir chercher mon courrier, me propose d'aller au cinéma. Je ne vais pas mentir, ce regain d'attention me fait plaisir, mais je comprends à présent que ce n'est que du vent. Monsieur ne veut pas renouer, il crève simplement de jalousie. Avant, son comportement m'aurait peut-être donné bon espoir ; là, j'ai choisi d'en rire. Les hommes manquent tellement de subtilité.

Si vous ne croyez pas Greg

100 % des hommes sondés ont expliqué que, pour eux, quitter une femme signifie invariablement qu'ils ne veulent plus sortir avec elle. (L'un d'eux s'est même étonné : « Comment peut-on s'envoyer en l'air après la rupture si on ne rompt pas d'abord ? » Fuyez ce grossier personnage !)

Ce qu'il faut retenir de ce chapitre

- ✓ Discuter ne fera pas barrage à la séparation. Une rupture n'est pas ouverte au débat : il s'agit d'une décision catégorique, non d'une démarche démocratique.
- ✓ Coucher ensemble après la rupture n'en signifie pas moins que vous avez rompu.
- ✓ Coupez les ponts ; laissez-le se morfondre.
- ✓ Il n'a pas besoin qu'on lui rappelle à quel point vous êtes formidable.
- ✓ Il peut s'occuper de son chat.
- ✓ « Classe » implique de ne pas « écouter son répondeur en cachette ».
- ✓ Quelque part, il y a un homme qui va être drôlement content de constater que vous n'avez pas voulu renouer avec votre minable d'ex.

Notre cahier d'exercices super-génial et super-utile

Ça alors, comme c'est bizarre : nous avons trouvé cette note par terre, un jour où nous nous échinions sur ce livre. Elle est signée de votre futur copain. Étrange coïncidence, pas vrai ?

Salut, Créature de Rêve,

Je piaffe d'impatience, remets-toi vite de ton ex – qui m'a l'air d'un sacré abruti. Et ne tarde pas. Tu es bien trop séduisante pour rester seule plus longtemps. Trouve-moi. Je suis là, quelque part, à t'attendre.

L'homme de ta vie

9

Il te mérite pas s'il s'est évanoui dans la nature

Tu dois parfois apporter la touche finale toute seule

Il a disparu. Pouf. S'est volatilisé dans les airs. Là, au moins, pas de message contradictoire. Il indique clairement qu'il n'est pas amoureux, jusqu'à s'abstenir de laisser un malheureux Post-It. Vous trouverez peut-être plus difficile, cette fois, de dégainer des excuses justifiant son comportement. Submergée par la tristesse, la colère aidant, vous serez tentée d'en dégainer pour justifier le vôtre, plutôt. Vous avez d'excellentes raisons de vouloir consacrer votre énergie à la résolution du mystère de l'Homme Volant mais cette multitude d'excuses, aussi valables soient-elles, ne vous aideront pas à longue échéance. Parce qu'il importe de retenir en priorité qu'il ne voulait plus de vous. Et qu'il a eu la trouille de vous le dire en face. Affaire classée.

L'excuse « Peut-être qu'il est mort »

Cher Greg,
J'ai eu une brève aventure avec un Français vraiment charmant. Nous nous sommes bien amusés, tout en ayant l'impression que notre histoire pouvait devenir sérieuse. Lorsqu'il est rentré en France, nous avons commencé à nous envoyer des mails. C'était très sympa, très romantique. Tout d'un coup, il a laissé un de mes messages sans réponse ; cela fait deux semaines qu'il a arrêté d'écrire. Peut-être qu'il lui est arrivé quelque chose ; peut-être qu'il n'a pas reçu mon dernier mail ; peut-être que je l'ai blessé sans le vouloir. Je ne vais pas supporter de rester éternellement sans nouvelles, c'est beaucoup trop dur. Rassure-moi, Greg, je peux le relancer, rien que pour essayer de renouer le contact ?

Nora

DU BUREAU DE GREG

Chère Frite de la Liberté,
Je t'en prie, envoie-lui donc un mail si tu souhaites lui donner la chance de te rejeter une seconde fois. Se serait-il fait écraser par un dix-neuf tonnes plein de pommes frites ? Se trouve-t-il à l'hôpital, incapable de te prévenir ? Possible. Pourtant, si je ne m'abuse, la loi des probabilités propose trois versions plus plausibles : il a rencontré ta remplaçante ; il s'est rendu compte qu'une relation à distance le branche moyen ; il a compris que tu n'es pas l'Américaine de ses rêves, tout simplement. Tu veux lui écrire et lui demander de bien te claquer la porte au nez, malgré le 0,0001 % de chance que son téléphone ait rendu l'âme, que sa boîte mail l'ait lâché, qu'il ait perdu toutes tes coordonnées ? Fais comme chez toi. Mais ne viens pas te plaindre que je ne t'aie pas prévenue.

Il n'est rien de pire que de rester sans réponse, tant dans le domaine professionnel qu'amical – et surtout sentimental. Pour autant vous aussi devez réagir sur le même mode : zéro réponse. Il ne s'est peut-être pas foulé pour griffonner un mot d'adieu, mais son silence exprime un assourdissant « à jamais ». Lui écrire ne l'amènera qu'à répéter ce message, plus fort cette fois-ci, et avec des mots. En plus, souvenez-vous, vous êtes bien trop occupée et assaillie de prétendants pour ce petit jeu.

L'excuse « Mais je ne peux pas l'engueuler, au moins ? »

Cher Greg,
Je fréquentais un type depuis trois mois lorsqu'il a subitement disparu. Je suis restée sans nouvelles plusieurs jours de suite. Inquiète, j'ai téléphoné à son meilleur ami qui m'a annoncé que ce minable s'était remis avec son ancienne copine. Il avait même emménagé chez elle. J'en conclus qu'il n'en a rien à faire de moi, mais n'ai-je pas le droit

d'exiger une explication? N'ai-je pas le droit de ne pas le laisser s'en tirer à si bon compte?

Renee

DU BUREAU DE GREG

Chère Prends Congé Renee,
Bien sûr que si. Mais, tu le sais, il se doute bien que tu seras furieuse. C'est un salaud de première, pas un imbécile. Il a tout répété dans sa tête, voilà pourquoi il a joué la fille de l'air. Il ne se doute pas encore de la vitesse à laquelle tu vas l'oublier, lui et ses combines pas nettes. N'adresse plus jamais la parole à ce nul et à ses potes, jamais ; ça lui apprendra.
PS : Et il ne se tire pas d'affaire à si bon compte : car partout où il va, c'est toujours le même salaud.

Sur le moment, appeler et passer un savon à l'indélicat peut remonter le moral. Mais sur le long terme, vous regretterez de lui avoir attribué à la va-vite le mérite d'avoir gâché votre vie – ou même votre journée. Qu'une autre y consacre son énergie. Vous aurez peut-être l'impression de le laisser « se tirer d'affaire », mais croyez-moi, rien de ce que vous lui direz ne le surprendra. Et vous avez bien mieux à faire de votre temps.

L'excuse « Une réponse, c'est tout ce que je veux »

Cher Greg,

Récemment, mon copain – que je fréquente depuis six mois – et moi avons fait un voyage en Californie. C'était formidable. Au retour, il est allé rendre visite à sa famille à Boston. Quand j'ai appelé pour m'assurer de son arrivée, sa mère m'a appris qu'il était parti chez un ami en Floride. Depuis, je n'ai aucune nouvelle. Je suis désespérée.

A mon avis, l'unique façon d'honorer mes sentiments, sans oublier notre relation, est de lui parler, de comprendre ce qui s'est passé. Est-ce que j'ai tort ?

Liza

DU BUREAU DE GREG

Chère Tu As Levé Un Enfoiré,
Mérites-tu de savoir ce qui s'est passé?
Oui. Et comme c'est ton jour de chance, je peux débrouiller ce mystère. Tu fréquentais le roi des connards. Tu penses que les révélations de ce dégonflé réussiront à éclairer ta lanterne et te faire t'exclamer : « Voilà donc la raison pour laquelle mon copain m'a larguée sans un mot, s'est cassé en Floride et s'est volatilisé ! », hein? Aucune explication, aucune, ne saura te satisfaire. Satisfaction garantie, par contre, si tu ne lui consacres plus une seule pensée à partir de maintenant. Tu as levé un enfoiré. Vire-le.
A bas les enfoirés !
PS : Le jour où je mets les pieds en Floride, je lui botte le cul.

Parfois un homme se comporte de façon si odieuse qu'il provoque une réaction spontanée. Vous avez commis une grande erreur en choisissant au départ ce type-là ; la façon la plus rapide d'y remédier est d'en tirer une leçon, d'aller de l'avant et de redoubler de prudence à l'avenir. Et ne traînez pas, chaque minute compte.

simple comme bonjour !

La catastrophe de la « disparition » exige d'accepter que l'homme que vous aimiez vous a probablement quittée longtemps avant de décrocher son manteau et de se faire la malle. Le plus difficile est de prendre conscience qu'il vous mentait bien avant de filer à l'anglaise. Ne vous demandez pas quelle erreur vous avez commise, quels ratés vous auriez pu éviter. Ne consacrez ni votre cœur ni votre intellect, tous deux trop précieux, à essayer de comprendre sa lâcheté ou à ruminer ses paroles pour démêler la vérité du mensonge. Une seule bonne nouvelle à prendre en compte : il est parti. Alléluia. A bientôt dans les pages comiques, trouillard !

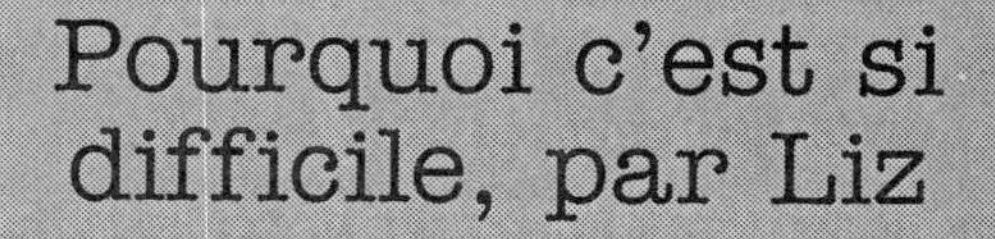

Pourquoi c'est si difficile, par Liz

Oh, bon Dieu, là c'est impossible. Il a **disparu.** Il a arrêté de vous téléphoner, de vous écrire, de vous voir, **du jour au lendemain.** Vous aviez noué ce qui vous semblait une espèce de « relation ». Vous aviez l'impression que votre lien justifiait une explication, même sommaire, si l'un de vous décidait de rompre. Mais à la place, silence radio. Pas de commentaire, pas d'adieu – une place vide. Il n'est rien de pire, en matière d'amour, **rien de pire** que cette sensation horrible au creux de l'estomac, à l'instant où il apparaît que le type que vous fréquentiez a préféré se casser plutôt que de vous en parler. **Rien de pire.**

D'abord vient l'abattement, ensuite seulement le sentiment d'impuissance, une impuissance absolue. En se volatilisant, ce type vous a fait comprendre qu'il ne vous attribuait aucune valeur, aucune signification. Le choc est d'autant plus rude qu'il ne s'est peut-être jamais comporté ainsi avant. La déception s'empare de vous : « Il ne faut vraiment plus penser à lui ? Il faut que je le prenne pour

un connard ? Voilà à quoi rime notre relation ? Il y a forcément une explication logique. » Et vous dépensez alors sans compter votre temps et votre énergie, trouvant des excuses à cet homme merveilleux (il est occupé, occupé... et peut-être qu'il est occupé), avec l'espoir fou qu'il reviendra à la raison et vous écrira au moins un mail. Vous analysez ensuite la moindre de vos paroles, de vos actions, de vos remarques afin de mettre le doigt sur ce qui aurait pu le chasser. Qu'avez-vous dit d'inapproprié, de maladroit, qui lui laissait la fuite pour seule issue ? Vous vous reprochez un présumé faux pas stratégique : « Oh, si seulement j'avais mieux joué ce coup-là ! Il serait encore avec moi ! » Ou, tout simplement, vous l'imaginez mort dans la rue, Dieu sait où : pour quelle autre raison se serait-il volatilisé ?
Vous voulez donc lui téléphoner, lui parler. Voire lui écrire. Affligée ou en colère, vous vous accrochez à l'espoir qu'il est à l'hôpital, plongé dans le coma. Mais qu'importe vos sentiments, vous estimez avoir droit soit à une engueulade en bonne et due forme, soit à une explication. Qu'y a-t-il de pire que de rester dans le noir ? Rien. Sauf, peut-être, de ne pas pouvoir lui secouer les puces.

Greg dirait que dans cette situation la meilleure vengeance n'est pas la colère mais la mise à distance émotionnelle (et que ça saute). Greg dirait que la réponse crève les yeux : il n'a pas voulu rester, il n'a même pas eu le courage de vous le dire en face, n'est-ce pas une réponse en soi ? Là, je sortirais à Greg : « Non, pas du tout. Franchement, ça ne me suffit pas. Je veux savoir **pourquoi.** » Et Greg de rétorquer : « Vraiment ? Tu en es sûre ? Tu veux qu'il expose par le menu les raisons pour lesquelles il n'avait plus envie de te voir ? »

Je déteste Greg.

Il n'y a pas plus atroce qu'une rupture. Mais à mon avis, découvrir que vous ne méritez pas la pire des ruptures est plus atroce encore. A nouveau, il est naturel de vouloir chercher une solution. Greg souhaite simplement que cette « solution » implique d'aller de l'avant, pas de regarder en arrière. Pour moi (et je ne suis pas la seule), se retrouver le bec dans l'eau est de loin le plus difficile à supporter ; que vous ne puissiez pas vous retenir d'appeler le goujat n'a rien d'étonnant. Je suppose pourtant que Greg (ce Monsieur Je-Sais-Tout) vous ferait à nouveau la morale et vous demanderait de réfléchir à deux fois avant de passer ce coup de fil ou d'écrire ce mail. Vous sentirez-vous vraiment mieux après ? Pensez-vous vraiment que ça le fera changer d'opinion sur son départ, ou sur vous ? N'y a-t-il vraiment rien d'autre qui puisse vous aider à vous tourner vers l'avenir ? Si tel est le cas, moi je dis : « Bon vent, Greg. » Appelez-le, ce type. Mais la clef de tout (du moins pour moi), c'est qu'un homme qui ne veut plus me voir et n'a pas la courtoisie ni le cran de me l'avouer en personne m'a donné toutes les infos dont j'ai besoin. Il faut de la volonté pour mettre cette leçon en pratique ; celle qui y parviendra est une nana selon mon cœur. Bonne chance à nous toutes !

♂ Ce que ça devrait donner en pratique, par Greg

J'avoue à regret m'être « défilé » une fois dans ma carrière de célibataire. Un an plus tard, j'ai revu la jeune femme en question dans la rue, devant un café. Elle resplendissait et donnait la main à un super-beau mec. Je me suis rendu compte que j'étais, bien entendu, à des années-lumière de ses pensées et qu'elle avait dû m'oublier deux minutes après que j'avais arrêté de l'appeler. Sa vie m'est apparue beaucoup plus digne que ma conduite.

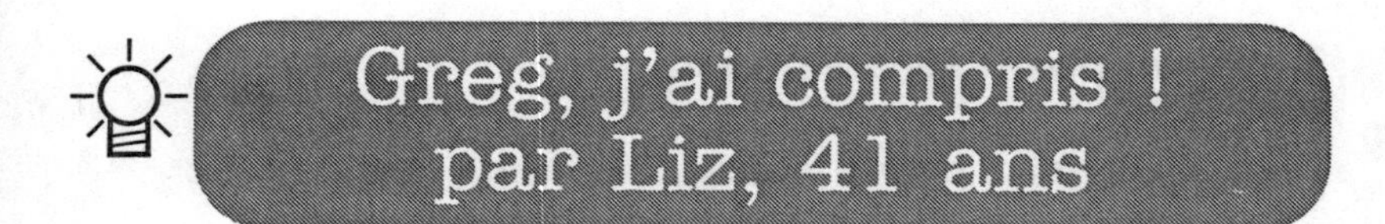

D'accord, Greg. Je n'enverrai pas de mail au Frenchy. Promis juré.

Si vous ne croyez pas Greg

100 % des hommes ayant admis avoir « pris la poudre d'escampette » à un moment donné de leur vie ont avoué être parfaitement conscients de la portée de leur acte et que rien, ni coup de fil ni discussion, n'aurait pu les faire changer d'avis.

Ce qu'il faut retenir de ce chapitre

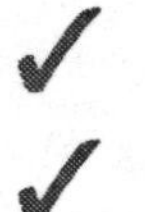

- Le pauvre est peut-être allongé sur un lit d'hôpital et souffre d'amnésie, mais à cent contre un il n'est pas vraiment accro à vous.
- Votre réponse : zéro réponse.
- Ne lui donnez pas la chance de vous rejeter une nouvelle fois.
- Qu'il se fasse engueuler par sa mère. Vous, vous êtes trop occupée.
- Ce n'est un secret pour personne : il s'est envolé, et il ne vous méritait pas.

Notre cahier d'exercices super-génial et super-utile

Nous aurions bien imaginé un exercice si nous avions pensé que ce type en valait la peine, mais c'est un bon à rien. Prenez donc votre après-midi, sortez et amusez-vous.

Amitiés,
Greg et Liz
(vos amis les auteurs).

Très bien, au cas où ça ne suffirait pas...
Ce n'est pas l'astuce la plus originale mais vous n'obtiendrez rien d'autre de nous, de gré ou de force. Écrivez une très, très longue lettre pour poser à ce type toutes les questions que vous voulez. Notez en bloc ce qui vous passe par la tête. Insultez-le tant et plus. Ajoutez un truc méchant sur sa mère. Ensuite – oui, vous avez deviné –, déchirez-la.
C'est le maximum de temps que nous vous permettons de consacrer à ce minable.

10

Il te mérite pas s'il est marié (et autres variations insensées sur le même thème)

Si tu ne peux pas l'aimer en toute liberté, ce n'est pas vraiment de l'amour

Cela va provoquer une nouvelle controverse, mais je me lance quand même : peu importe la force et la sincérité de vos sentiments, si l'homme que vous aimez n'est pas en mesure d'y répondre avec générosité et surtout avec honnêteté, s'il ne peut donc pas vous aimer en retour, ces sentiments ne signifient rien. Bien entendu, ils sont intenses, profonds, de portée et de proportions mythiques. Vous n'avez peut-être « jamais éprouvé ça avant ». Qu'est-ce que ça peut faire ? Lorsque celui que vous « aimez » (remarquez les guillemets méprisants) ne peut librement passer ses journées à vos côtés, en personne ou en pensée, **ce n'est pas vraiment de l'amour.**

L'excuse « Mais sa femme est une vraie peste »

Cher Greg,
Je fréquente mon patron, qui est un homme marié. Tout se passe en secret afin que personne ne s'en rende compte. Je l'aime sincèrement, et lui m'aime aussi. Je sais bien qu'avoir une liaison avec un homme marié c'est nul, mais sa femme se montre odieuse avec lui : elle l'insulte, le traite d'idiot ; ils ne font jamais l'amour. Il me dit que moi seule l'aide à tenir le coup. Comment le quitter alors qu'il en voit de toutes les couleurs et que je suis tellement attachée à lui ?

Blaire

DU BUREAU DE GREG

Salut Secret,
Sans rire ? Je ne rêve pas ? Il va falloir t'expliquer pourquoi tu ne devrais pas sortir avec un homme marié ? Bon, très bien : voici quelques tuyaux sur ton boss. Il cache une maîtresse, ce qui révèle bien des choses. Primo, être malhonnête ne lui pose aucun problème (chouette). Deuzio, tromper sa femme ne le gêne pas (super). Tertio, il ne témoigne aucun respect envers son couple (quelle perle). Quarto (là je m'adresse spécifiquement à toi), il ne te témoigne aucun respect non plus parce qu'il t'accorde des miettes - du temps volé, partagé dans la honte (ce dont tu avais toujours rêvé petite, pas vrai ?). Et vu qu'il s'agit d'une liaison entre collègues de travail, devine qui sera remercié lorsque l'histoire d'amour tournera au vinaigre ou, en alimentant les commérages à la machine à café, menacera son poste et/ou son mariage ? Toi. Et qui verra sa réputation professionnelle entachée ? Tu as dit : toi ? Bravo ! En dépit de son choix désastreux et de sa mégère apprivoisée, sa

situation n'est pas si terrible, sans quoi il aurait déjà pris ses jambes à son cou. Une relation satisfaisante se doit d'être vécue au grand jour. Pars en reconnaissance et trouves-en une.

Je sais que tout paraît plus simple dès lors que la légitime est une guenon méchante, mesquine et odieuse. Quelles que soient les circonstances ou la nature de leur relation, vous aidez quand même un homme à tromper sa femme. Mettons-nous d'accord : vous valez mieux que ça.

L'excuse « Mais c'est vraiment quelqu'un de bien »

Cher Greg,
Je ne pensais pas me retrouver un jour dans cette situation, mais voilà : je fréquente un homme marié. Je l'ai rencontré lors d'une conférence et j'ai fini par le revoir dans le cadre du travail. Nous sommes tombés amoureux, et une chose en a amené une

autre... Nous nous voyons chaque fois qu'il vient en ville, c'est-à-dire souvent. La solution la plus facile serait de mettre fin à cette liaison, mais c'est un homme bien, gentil, qui n'avait encore jamais trompé sa femme et qui n'en dit jamais de mal. Nous sommes profondément attachés l'un à l'autre. A trente-six ans, je n'avais rien ressenti d'aussi fort par le passé. Lui non plus, m'assure-t-il. Il parle de se séparer de sa femme, mais il a deux enfants en bas âge qui seraient anéantis par cette rupture. Il est tiraillé de toutes parts. Je ne fais pas la fière non plus, pourtant je crois mériter de vivre un grand amour. Et s'il éprouve des émotions si fortes, cela prouve sa sincérité. Ce n'est pas une histoire d'adultère comme les autres, Greg. Je suis différente et cette relation est totalement différente aussi.

Belinda

DU BUREAU DE GREG

Chère L'Autre,
Hé, petite futée, c'est bien de savoir que tu mérites un amour intense et exaltant. Je pense simplement que tu devrais en faire l'expérience avec un homme rien qu'à toi. Il y a plein de célibataires en liberté, pourquoi ne pas mettre la main sur l'un d'eux ? Oui, d'accord, parfois les gens arrêtent d'aimer, épousent la mauvaise personne, sont débordés par la passion, regrettent leurs choix - toutes choses pouvant aboutir à une liaison. Voici la manière dont toi et Fred Bagodoigt allez procéder : arrêtez de vous voir ; laisse-le prendre du recul. S'il décide de rester auprès de sa femme, tu auras joué le rôle de la nénette qui a eu une aventure avec le type qui n'envisageait pas de casser son couple. S'il s'en sépare, lancez-vous dans une vie commune d'où la honte sera bannie.

C'est très sérieux, donc je ne vais même pas essayer de faire le mariolle (pourtant, impossible de me retenir dans la lettre précédente). Vous voulez aimer et être aimée, vous pensez avoir trouvé l'homme idéal. Qui est marié. Prenez ceci en compte, s'il vous plaît : il est marié à une autre. Vous êtes différente, je le sais bien, la situation aussi est différente, mais il n'en reste pas moins marié. Si, dans votre vie, vous ne devez fuir à toutes jambes qu'une seule espèce d'individus, que ce soit les types engagés ailleurs. Il y a vraiment trop en jeu pour toutes les personnes concernées.

L'excuse « Je devrais prendre mon mal en patience, voilà tout »

Cher Greg,
J'ai fait la connaissance d'un homme drôle, charmant, une vraie bouffée d'air frais. Il m'appelle avant de venir, fait pas mal de route pour me voir ; nous passons d'excellents moments ensemble. Seul problème : il est en procès afin d'obtenir la garde de ses enfants, et il en parle sans arrêt. J'ai beau le

supplier de discuter d'autre chose, il reste bloqué sur sa femme, raconte qu'il la déteste, que c'est une sale menteuse et qu'il va la « démolir ». Je comprends qu'il traverse une sale période et je ne veux pas tout planter pour cause de mauvaise humeur. Et si je me contentais de le soutenir et de l'écouter se défouler ?

Pam

DU BUREAU DE GREG

Chère Clair De Lune Sur L'Oasis,
Alors comme ça il est drôle, charmant, du genre bouffée d'air frais, mais il ne peut s'empêcher de déverser sa bile sur son ex-femme ? Génial. Mesdemoiselles, je suis sérieux : cela me fend le cœur qu'il soit si difficile, de nos jours, de rencontrer un type convenable et que vous laissiez sévir n'importe quel représentant de la gent masculine sous prétexte qu'il est capable d'arriver à l'heure, d'utiliser le téléphone et de conduire une voiture. A cette situation déplorable je n'ai aucune

solution. Quant à toi, Pam, les chances qu'il tombe raide dingue de toi semblent égales à zéro, parce que la fureur monopolise la moindre de ses pensées en ce moment. Voici mon opinion : il ne t'a pas donné une seule bonne raison d'assister à son one-man-show intitulé « Je veux zigouiller ma femme ». Si tu lui manques, il peut se reprendre en main et te rappeler lorsqu'il aura les idées claires. En attendant, tu as mieux à faire de tes journées – aller réserver ta place pour un spectacle bien plus captivant.

Encore une fois, définir votre relation en termes d'attente n'augure rien de bon. Un partenaire n'est pas un bouquet d'actions dans lequel vous devez investir, mais un homme censé avoir assez de disponibilité pour vous parler, vous voir, peut-être tomber éperdument amoureux de vous. Voilà pourquoi il vous a donné rendez-vous. Et si vous voulez exiger le minimum syndical, qu'il ait au moins la politesse d'être de bonne compagnie.

simple comme bonjour !

Bien sûr, vous ne manquerez pas de faire la connaissance d'hommes bloqués à divers stades de l'après-rupture. S'il tient vraiment à vous, il réglera ses problèmes en un clin d'œil et s'assurera de ne pas vous perdre. Ou il vous fera comprendre ce qu'il ressent, afin de lever le doute, et vous dira en face qu'il n'est pas encore prêt. Du reste, je peux vous garantir qu'à la minute où plus rien ne le retiendra, il va piquer un sprint et vous retrouver. Car on ne vous oublie pas facilement.

Pourquoi c'est si difficile, par Liz

Parce que c'est vous – pas une nana quelconque vue dans un magazine, à la télé, entendue à la radio. C'est vous, et c'est difficile. Vous méritez le bonheur tout autant que sa femme ou sa copine. Parfois les gens se marient avant d'avoir rencontré la personne qu'il leur faut ; parfois les couples se défont et il ne reste rien de leur amour. Et s'ils ne sont pas mariés, mais en quelque sorte distraits par une autre, eh bien la plupart des hommes se dépêtrent d'une situation tout en s'impliquant ailleurs... alors pourquoi ne pas se cramponner à lui jusqu'à ce qu'il se débarrasse de son ex ?

Dans les deux cas, le mot clef est « attendre ». Vous avez tout à faire – sacrifier votre temps, vous mordre la langue, réprimer vos envies. Il est tellement spécial, ce type. Il mérite que vous fassiez le pied de grue, mettiez votre vie en attente, n'obteniez rien de ce que vous désirez, pendant que lui règle ses problèmes sans se presser. Il est vraiment spécial. Vous, par contre, pas du tout.

Il se trouve que je suis experte dans l'art de perdre son temps, de se montrer peu exigeante et de se contenter de presque rien. N'ayant jamais fréquenté d'homme marié, je suis pourtant une spécialiste des types déjà pris. Jouons cartes sur table : savoir que votre prince charmant ne peut vous appartenir dans l'immédiat, pour une raison ou pour une autre, vous déchire le cœur et vous remplit d'une langueur teintée de noblesse, de romantisme et de gravité. Et, comme vos sentiments frappent par leur force et leur profondeur, vous êtes disposée à l'attendre (bien entendu, je suspecte à présent mes sentiments de m'avoir aveuglée pour la raison précise que ces types ne pouvaient m'appartenir, mais je n'en jurerais pas). Si cela ne vous gêne pas, si rien de ce que proposent ce livre, vos amies ou votre psy ne vous fera changer d'attitude, j'espère qu'à la longue vous finirez, comme moi, par vous en lasser. Il arrive que toute l'aide psychologique au monde s'avère impuissante. Il arrive que le malaise doive d'abord s'installer. L'ennui vous gagne à force d'avoir toujours moins que les autres, moins que ce que vous désirez. Vous comprenez que vous méritez peut-être mieux, pas parce que vous avez appris à vous aimer, perdu du poids ou vu une émission géniale, mais simplement parce que vous en avez assez. Assez de ces échecs à répétition, de cette détresse. C'est ce qui m'est arrivé, j'ai l'impression. J'espère que vous serez quand même plus rapides à la détente.

♀ Ce que ça devrait donner en pratique, par Liz

Une de mes amies a rencontré un homme qui avait quitté sa copine à peine deux semaines auparavant, après une relation de trois ans. Elle pensait ne servir qu'à lui faire oublier ses déboires sentimentaux, et c'est ce qu'il s'imaginait aussi. Il avait une excuse toute prête sous le coude – « Je ne me sens pas encore prêt, je viens juste de rompre » – mais il n'a pas sorti ce joker. Parce qu'il était vraiment amoureux d'elle, il ne lui a jamais donné l'impression d'être indisponible. Depuis, leur relation a pris une tournure sérieuse.

Greg, j'ai compris ! par Janine, 43 ans

Récemment j'ai fait une rencontre sur Internet, un homme veuf depuis trois mois. Nous nous sommes vus à plusieurs reprises et, de toute évidence, il n'était pas prêt à se lancer dans une nouvelle relation. Il paraissait profondément affligé et parlait beaucoup de sa femme, qu'il trouvait merveilleuse. J'ai été tentée de prendre soin de lui, de le consoler, de l'aider à traverser ces moments douloureux. Il me plaisait et je rêvais de l'homme qu'il serait une fois « rétabli ». J'ai pris pourtant conscience que je ne voulais pas de quelqu'un qu'il me faudrait « guérir ». Je lui ai expliqué que le fréquenter si peu de temps après la mort de son épouse me posait problème, j'ai ajouté que je laissais la porte ouverte et serais heureuse de le revoir plus tard. Je suis retournée ensuite à mon ordinateur et à mes recherches.

Si vous ne croyez pas Greg

Un de mes amis est sorti avec une jeune femme qui lui a précisé à un moment qu'elle fréquentait également un homme marié. Il l'a informée sur-le-champ qu'il n'y aurait pas de deuxième rendez-vous : si elle ne s'estimait pas assez pour s'impliquer dans une relation digne de ce nom, pourquoi lui ferait-il l'effort ?

Ce qu'il faut retenir de ce chapitre

- ✓ Il est marié.
- ✓ A moins qu'il soit tout à vous, il est encore à elle.
- ✓ Le monde regorge de célibataires sympas et affectueux. Trouvez-en un pour votre usage personnel.
- ✓ Si un type traite son ex-femme de tous les noms ou verse des larmes sur sa dernière petite amie, arrangez-vous pour aller au ciné en meilleure compagnie.
- ✓ Il est marié.
- ✓ Ne jouez pas à la briseuse de ménages.
- ✓ On ne vous oublie pas facilement. Laissez-le vous trouver lorsqu'il sera prêt.

Notre cahier d'exercices super-génial et super-utile

Dressez la liste des qualités que vous recherchez, ou avez toujours recherchées, chez un homme. Vous avez droit à cinq propositions. Nous attendons...

1.
2.
3.
4.
5.

Regardez le résultat. Vous avez noté « marié » ou « déjà pris » ?

Non ? C'est bien ce qu'on pensait. Vous êtes franchement trop classe et trop intelligente pour ça.

11

Il te mérite pas si c'est un sale égoïste, un tyran ou un cas désespéré

Quand on aime une femme, on veut la rendre heureuse

« Il a tant de bons côtés. Vraiment. Si seulement il ne me disait pas sans arrêt de la fermer. » En effet, cela pose un problème ; essayez d'en tenir compte. Je sais qu'il « possède plein d'autres qualités » – c'est pour cette raison que vous en êtes tombée amoureuse. Vous n'auriez pas le béguin pour un connard, hein ? Une bonne astuce : oubliez-le, lui et ses nombreuses qualités. Oubliez même ses défauts. Jetez au vent ses excuses et ses promesses. Posez-vous une seule question : vous rend-il heureuse ? Les hommes sont des créatures compliquées tout en contradictions, à la fois aimables et exaspérantes. Voilà pourquoi ils vous embrouillent, et pourquoi essayer de les cerner est une perte de temps. Vous rend-il heureuse ? Je laisse de côté les « parfois », « en de rares occasions », « pas trop souvent », « mais les avantages l'emportent sur les inconvénients ». Vous fait-il comprendre au quotidien, par ses actes et ses paroles, qu'il veut votre bonheur ? Si vous répondez non, virez-le et trouvez-vous un homme doté de véritables « qualités ».

L'excuse « Il cherche vraiment à s'améliorer »

Cher Greg,
Mon petit ami ne pense qu'à lui. Il dit qu'il m'aime, et je tiens une grande place dans sa vie ; nous avons des relations étroites avec nos familles respectives et c'est un homme bon, à bien des égards. Nous vivons ensemble depuis quatre ans : il ne s'occupe pas des tâches ménagères, ne fait aucun effort pour organiser des sorties, se fiche de mon anniversaire, ne m'offre jamais de fleurs, refuse de promener le chien, ne me fait aucun

compliment, ne me remercie pas lorsque je prépare un dîner sympa pour lui et ses amis, n'est pas très affectueux et ne veut jamais aller en vacances avec moi. Nous en parlons sans arrêt et il me jure qu'il essaie de se corriger, mais j'ai du mal à percevoir ses changements.
Question : peut-il m'aimer autant qu'il le dit alors qu'il se comporte en parfait crétin ?

Paula

DU BUREAU DE GREG

Chère Accro Au Crétin,
Tu me fais marcher, là. Prends ta lettre, approche-la de tes mirettes et lis-la à voix haute, pour toi et une amie. Si la réponse ne te crève pas les yeux, appelle les flics, parce que quelqu'un s'est fait chourer son cerveau.
PS : Pour répondre à ta question : non. Les gens qui aiment s'efforcent, en général, de se montrer agréables. Certains prennent même plaisir à bien traiter leur compagne, à

tenter de l'aider au quotidien. Il pense peut-être qu'il t'adore, et c'est peut-être vrai. Mais il s'y prend très mal. Alors laisse tomber, il te mérite pas.

Efforcez-vous de ne pas mettre quatre ans à prendre conscience que votre partenaire est un abruti absolu, et un égoïste. Gageons que Monsieur Zéro se démène pour vous montrer sa face cachée depuis le tout premier jour.

L'excuse « Mais il a été élevé comme ça »

Cher Greg,
Mon petit ami, que je fréquente depuis un an, est parfait à tout point de vue. Il se trouve qu'il a grandi avec son unique frère, au sein d'une famille dysfonctionnelle (une mère bonne pour l'asile). Moi, je viens d'une famille nombreuse, très liée, où tout le monde s'aime. Mon copain ne veut jamais passer du temps avec mes proches et, s'il a le choix,

préfère rester à la maison plutôt que de leur rendre visite. Lorsque je l'emmène à nos dîners, il se montre renfrogné et peu sympathique. Nous en avons parlé et il m'a expliqué qu'il n'était pas très branché famille. Il m'est difficile d'envisager un avenir avec lui dans ces conditions ; d'un autre côté, n'est-ce pas ce qui se passe dans notre couple qui importe le plus ? Je pense qu'il finira par s'habituer à eux et changera d'avis, pas toi ? Ce sont vraiment des gens adorables.

Enid

DU BUREAU DE GREG

Chère Esprit De Famille,
Ainsi donc ton copain est parfait en tout point, sauf qu'il n'est pas très branché famille. Une exception de taille ! D'accord, il tient une excuse à peu près valable pour agir en égoïste (car son attitude se résume à ça, à vrai dire). Rares sont les personnes qui incluent la visite à belle-maman dans la

liste de leurs dix passe-temps préférés. En fait, jadis et naguère (l'époque exacte m'échappe, mais tu vois ce que je veux dire), il aurait dû recevoir l'approbation de ta famille avant même de poser les yeux sur toi. Ne troque pas ta tribu contre ce type. S'il tenait vraiment à toi, s'il projetait vraiment de faire un bout de chemin à tes côtés, il offrirait un numéro de claquettes à cette smala sensationnelle chaque fois que l'occasion se présente - et leur confectionnerait aussi un gâteau, qui sait.

Il n'a pas à aimer votre collection de CD. Il n'a pas à aimer vos chaussures. Mais tout homme avisé et dévoué ferait mieux d'appliquer son énergie à aimer vos amis, ainsi que vos proches – surtout s'ils sont hors du commun.

L'excuse « Cette situation ne va pas durer éternellement »

Cher Greg,
Je fréquente un étudiant en médecine. Il est surchargé de travail, exténué, et s'énerve à tout bout de champ. Il me crie dessus lorsque je le réveille par erreur ou, comme récemment, lorsqu'il trouve que je le dérange dans ses révisions. Je sais que ce n'est qu'un mauvais moment à passer. Il se comportait autrement au début de notre relation, quand il n'était pas encore plongé dans ses études ; il débordait de gentillesse, de prévenance. De temps à autre, il s'en veut et me présente des excuses en invoquant son état de stress. Je suis certaine que mon vrai copain va revenir, Greg.

Denise

PS : En plus, j'ai toujours rêvé d'épouser un médecin !

DU BUREAU DE GREG

Chère Cri De Guerre,
Je me fiche qu'il étudie pour devenir le prochain Messie. Il n'existe aucune raison valable de gueuler après quelqu'un - sauf « ATTENTION AU BUS! ». Et ça ne lui passera pas comme ça. Les énervés ont du mal à gérer leur colère, et ont besoin d'aide. Les énervés pensent que brailler fait partie de leurs prérogatives. Hé, beauté, tu rêves d'être ce couple ? Tu sais, celui où l'homme s'emporte sans arrêt contre sa femme ? Mieux, tu souhaites qu'il soit ce père-là ? C'est bien ce que je pensais. N'attends pas que Mr Hyde endosse à nouveau la veste du Dr Jekyll. Pars à la recherche d'un homme qui sait ce que signifie prendre soin des autres.

L'excuse « C'est ce qui se passe en privé qui compte »

Cher Greg,

J'adore mon petit ami. Il me comble dans tous les domaines. Il m'emmène en vacances, m'offre de beaux cadeaux ; j'ai une totale confiance en lui. Mes amis ne l'apprécient pas vraiment parce qu'il lui arrive de se moquer un peu de moi en leur présence. Il me met en boîte parce que je ne suis pas allée dans une université prestigieuse, quand je maltraite la grammaire ou que je me trompe. Il aime me contredire en public et faire remarquer que je ne suis pas au courant de l'actualité. Ça m'est égal, je suppose qu'il manque d'assurance. Il se comporte autrement quand nous sommes seuls.

Alors pourquoi m'en faire ? N'est-ce pas la manière dont il me traite en privé qui compte ?

Nina

DU BUREAU DE GREG

Chère Aimant Les Complications,
Il semble parfait, dans le genre teigneux. En quel honneur te farcir un type qui te rabaisse pour pouvoir bomber le torse ? Et surtout devant tes amis ! Tu connais une université qui propose des TD d'humiliation publique ? Ce type a trouvé ses diplômes dans une pochette-surprise s'il pense que t'insulter va le faire passer pour autre chose qu'un imbécile. Et le tolérer sous prétexte qu'il te traite mieux dans l'intimité ? En quel honneur, vraiment ?
On dirait qu'il meurt d'impatience de te sortir dans le seul but de se foutre de toi, au vu et au su de tous. Débarrasse-toi de Monsieur Gros Malin et va suivre des cours pour trouver un homme qui ne te fichera pas la honte.

L'excuse « Mais il veut seulement m'aider »

Cher Greg,
Mon copain comprend ce que j'endure. J'ai un problème de poids que je combats depuis toujours. Lui est un mordu de sport et de diététique. Il m'indique quoi manger, de quoi me priver. Si je suis tentée par un écart, il me rappelle que c'est mon gros derrière qui en fera les frais. Il m'avertit lorsque je grossis, mais me complimente également sur mes progrès. Je trouve formidable qu'il s'implique autant. Mes amies, elles, le jugent cruel envers moi ; je ne suis pas d'accord. Qu'en penses-tu, Greg ?

Nadia

DU BUREAU DE GREG

Chère A Deux C'est Mieux,
Ce type n'a pas l'air d'être ton entraîneur, mais plutôt un tyran domestique. Laisse-moi

te rappeler qu'en réalité son boulot se résume à être ton petit copain. Il agit pourtant en despote éclairé : il connaît ton point faible et en tire avantage sans scrupule. Les minables de ce genre abusent de femmes plus faibles qu'eux, même celles qui soulèvent de la fonte tous les jours. Il est temps d'utiliser tes quadriceps et tes jarrets - pour te tirer et ne jamais revenir.

Je propose ici un commentaire des trois dernières lettres. Nombre d'agissements peuvent être considérés comme dangereux, sans pour autant tomber dans la violence physique ; mettons dans le même panier l'agressivité verbale, les humiliations, les railleries sur le poids et le physique. Vous sentir digne d'amour devient mission impossible lorsque votre partenaire fait tout pour vous accabler. Il ne servira peut-être à rien que je vous conseille de mettre un terme à votre relation. Comprendre que vous méritez mieux est un bon point de départ. Oui, vous méritez mieux.

L'excuse « Désormais je joue dans la cour des grands »

Cher Greg,
Je suis sortie à trois reprises avec un excellent parti, un journaliste qui mène une vie incroyable : il voyage sans cesse, vit toujours des aventures passionnantes. Il possède également un grand sens de l'humour. Il m'inonde de compliments, semble m'apprécier, m'invite souvent à dîner. Il dit qu'il passe de très bons moments en ma compagnie. En fait, lors de nos trois rendez-vous, il ne m'a pas posé une seule question sur moi. De toute évidence je lui plais, sinon il renoncerait à m'inviter et à me flatter. Voilà peut-être le prix à payer pour fréquenter des types géniaux. C'est un beau parti, Greg !

Ronda

DU BUREAU DE GREG

Chère Audience Captive,
Quelle veine tu as de connaître cet ensorceleur ! Tu peux l'admirer durant ses séances de branlette conversationnelle. Génial ! Il paraît aussi impressionné par lui-même que sa nouvelle admiratrice. Désolé, mais il ne t'aime pas : il aime ce qu'il voit quand tu l'écoutes. Lorsque j'ai rencontré ma femme, des dizaines de questions me brûlaient les lèvres ; de quelle autre manière aurais-je appris à la connaître ? Ok, lui raconter ma vie ne m'a pas déplu - je souhaitais l'éblouir de mes exploits - mais le dialogue était équilibré car j'estimais que le beau parti, dans l'histoire, c'était elle. Deux êtres entre lesquels se produit un déclic ont soif d'informations l'un sur l'autre ; chacun convoite des petites tranches d'une vie encore inconnue, un aperçu de son passé, un coup d'œil furtif dans son esprit, avec l'espoir de toucher l'autre au cœur. Ce type se conduit en mégalomane. La moindre des choses serait de te demander quels sous-vêtements tu portes.

Retenez ceci : vous êtes la plus belle des conquêtes ; eux ne visent qu'à vous prendre dans leurs filets. Cette petite sole appétissante qui sera délicieuse grillée dans une chouette sauce au citron, c'est vous, pas eux. Enfin, vous voyez ce que je veux dire.

L'excuse « Il se cherche, c'est tout »

Cher Greg,
Cela fait deux ans que mon copain ne travaille pas. Il est adorable, merveilleux même ; le problème, c'est qu'il ne sait pas quoi faire de sa vie. De temps à autre il fait le DJ, mais au fond je l'entretiens (je travaille et reçois un peu d'argent de mes parents). Je sais qu'il est vraiment amoureux de moi – il a seulement besoin de trouver sa voie, pas vrai ? Ou peut-être qu'il se sent déprimé ?

Julie

DU BUREAU DE GREG

Chère Je Fais Bouillir La Marmite,
Je ne comprends pas : tu lui laisses de l'argent le matin sur la table de la cuisine ? ou tu le paies afin qu'il s'occupe du ménage ? Écoute, Rothschild, il est peut-être amoureux de toi mais son amour-propre semble au plus bas, autrement il ne t'aurait pas parasitée deux années entières. En vivant à tes crochets, il se comporte d'une manière qui ressemble à s'y méprendre à celle d'un faux jeton. Un homme sincère tâcherait de se secouer les puces aussi vite que possible - ce qui implique, avant toute chose, de toucher un salaire. Méfie-toi : souvent ces mecs, une fois leur vie en ordre, s'en félicitent au point de se persuader qu'il leur faut aller voir ailleurs (après tout, aucune nana de qualité n'aurait supporté leur cinéma si longtemps). Mon conseil : laisse-le se trouver - mais pas à tes frais. Vois alors si ton DJ des familles fait trois petits tours et puis s'en va.

La vie n'est pas une perpétuelle partie de plaisir. Pour transposer le proverbe, les glandeurs ne sont pas les payeurs, en particulier s'ils vous réclament cinq cents dollars histoire d'effacer leur ardoise au bar du coin. Le seul boulot qui en vaille la peine, c'est de dénicher un homme qui jugerait honteux de rester à votre charge, et à celle de papa-maman.

L'excuse « Peut-être qu'il s'agit d'une petite bizarrerie »

Cher Greg,
J'ai fait la connaissance d'un jeune homme sensible et très gentil. L'ennui, c'est qu'il déteste les démonstrations d'affection. Il m'explique que tout contact physique le laisse froid. Au lit ça se passe bien, pourtant il n'est pas non plus adepte des caresses. Comme il est formidable par ailleurs, ce reproche peut paraître étrange. Est-ce que son refus des câlins et des cajoleries prouve qu'il n'est pas vraiment amoureux de moi ? On

que l'intimité lui pose problème ? Je ne veux pas le quitter pour cette raison, mais j'ai besoin d'affection !

Frida

DU BUREAU DE GREG

Chère En Manque D'Affection,
Je dois dire qu'un type qui dédaigne l'un des plus grands plaisirs au monde me semble louche. Que déteste-t-il encore que tu ignores ? Les chiots ? Les bébés ? Avoir une âme ? Et si tu as besoin d'affection, pour des motifs évidents, pourquoi t'acharner à rester dans la zone non-tripoteurs avec Monsieur Coincéducul ? Effectivement, certains hommes ont du mal à manifester de la tendresse, mais quel malade n'aime pas les caresses ? Difficile à concevoir. Il peut être vraiment amoureux de toi, mais question compatibilité, les carottes sont cuites. Un conseil : va de l'avant, trouve-toi un type qui apprécie les mêmes activités que toi et coulez ensemble des jours heureux voués au pelotage et aux papouilles.

Vous croiserez forcément sur votre route des phénomènes à qui répugnent caresses, baisers et galipettes. Soit vous vous éreintez à les convertir, soit vous vous demandez s'il faut en faire une affaire perso. Ou alors, tout simplement, vous prenez conscience qu'ils n'aiment pas les choses que vous jugez essentielles à une vie épanouie, et vous partez en quête de l'âme sœur.

L'excuse « Il a peur de l'intimité du sommeil », aussi rare qu'exotique

Cher Greg,
Depuis un an, je fréquente un homme qui n'arrive pas à faire lit commun avec moi. Après l'amour – toujours super, divin –, il va dormir sur le canapé. Il me raconte qu'il ne peut pas « faire face ». À part ça, rien ne cloche dans notre relation. Je suppose que l'intimité l'angoisse et que je dois me montrer patiente. Cela indique-t-il qu'il n'est pas vraiment amoureux de moi ? Dois-je plutôt tenir malgré tout ?

Gloria

DU BUREAU DE GREG

Chère Monstrophile,
Voilà ce que j'ai envie de faire : parier cent contre un qu'en réalité, tout cloche dans ta relation avec ce prodige de la nature. En un an il n'a jamais dormi dans le même lit que toi ? C'est un cinglé qui mériterait d'être viré de ton canapé à grands coups de pied au derrière. Le fait que tu te préoccupes encore de l'opinion de ce barge prouve seulement que le monde ne tourne plus rond. Je t'en supplie, laisse tomber les cas psychiatriques.

Au cours de votre carrière de célibataires, vous risquez de tomber sur votre lot d'originaux et de crétins – une calamité aussi inévitable que la mort et les impôts. Seul paramètre sous votre contrôle : le temps que vous décidez de consacrer à ces messieurs. Pour les profanes en la matière, dix minutes devraient suffire, à vue de nez, en prenant les premiers signes de muflerie (ou l'apparition d'une queue de lézard) comme point de départ. Dix minutes qui vous donnent assez de marge pour vous rhabiller avant d'effacer votre numéro du répertoire de son portable.

! simple comme bonjour !

Il y a un monde entre « excentrique » et « fou » : un excentrique va parfois porter une veste en velours ; un fou vous fera l'amour à condition d'en porter une.
Il y a un monde entre taquiner et insulter. Exemple de taquinerie : « Björk a appelé. Elle veut récupérer sa robe. » Exemple d'insulte : « Eh bé, t'as grossi, dis donc. »
Et il y a un abîme, en fin de compte, entre ce que vous valez et le traitement que vous infligent ces types.

Pourquoi c'est si difficile, par Liz

Je le sous-entendais dans mes interventions précédentes, mais là je le déclare sans prendre de gants : les types bien sont rares. Statistiques, articles et livres confirment cet état de fait, et nombre de nanas seraient ravies d'en témoigner sous serment. Je continue : les femmes bien, elles, abondent. Je parie que vous l'avez déjà entendu dire, ou dit vous-mêmes. Oh, minute, la liste s'allonge : une flopée de guignols sont amateurs de chair fraîche ; par conséquent, plus le temps passe et moins de prétendants s'intéressent à vous. Invitons Greg à la maison ; il sortira sa petite calculette et nous expliquera, calculs savants à l'appui, que nous finirons toutes avec des hommes merveilleux qui nous traiteront comme des reines, dans une relation fondée sur un amour et un désir partagés.

Nous sommes d'accord : impossible de bout en bout. Il semble donc logique, raisonnable, voire carrément judicieux, que toutes ces fantastiques célibataires qui épatent par leur intelligence, leur équilibre, leur drôlerie et leur gentillesse envisagent enfin de réduire leurs prétentions. Car, je ne sais pas pour vous, mais moi j'ai horreur du célibat. J'ai horreur d'aller dans une soirée sans chevalier servant. J'ai horreur de dormir seule. Horreur de me réveiller seule. Horreur de savoir que chaque corvée ennuyeuse à crever, je dois me la taper en solo. Horreur d'être en manque de sexe. Horreur de cuisiner pour un, de faire des courses pour un. Horreur d'assister aux mariages. Horreur qu'on me demande pourquoi je reste célib'. Horreur de mon anniversaire parce que célib', encore et toujours. Horreur de me dire que je dois me

résoudre à faire un bébé toute seule parce que... célib'. Je me suis bien fait comprendre ?
Inutile de dire que je ne conseille à personne de s'accommoder d'un partenaire qui le traite mal. Mais les mauvais traitements prennent des nuances subtiles ; Monsieur Lepourri est disponible en plusieurs tons. Et ces types dont nous venons de parler ? Ils n'ont pas encore rejoint le côté obscur de la force, ils peuvent aussi se montrer agréables. Alors, plus souvent qu'à mon tour, je me surprends à gamberger sur l'avantage d'être maquée avec un homme détesté par vos amies, mais pas avare d'un coup de main pour porter les courses. Voilà, c'est avoué. Je trouve ce sujet vraiment très délicat. A tel point que je préfère passer le relais à Greg. Tout me semble trop confus. Au vu des données objectives, ma nature pragmatique se rebiffe, les solutions m'échappent. Nous devons nous aimer, je le sais bien, nous devons admettre que nous méritons un bonheur mâtiné d'optimisme. J'estime aussi qu'être célibataire, c'est nul. Greg, nous exhortes-tu vraiment à assumer notre célibat, nos revendications, et à ne nous accorder aucune trêve (donc aucune amourette) tant que n'aurons pas rencontré l'homme parfait à nos yeux ? La solitude nous

guette à chaque coin de rue. Allez, tu t'y colles. Moi, je n'ai pas la moindre idée sur la question.

♂ Greg répond

Nous entrons à présent dans le vif du sujet, pas vrai ? On rit jaune quand il s'agit d'aborder les questions vraiment douloureuses. Je comprends que le débat porte bien au-delà de notre refrain « Il te mérite pas ». Je ne compte plus les nuits blanches passées auprès d'amies (et de ma sœur) en larmes, à tenter de les convaincre qu'elles méritent mieux que ces demeurés qui leur pourrissent la vie. Je vais donc m'efforcer d'apporter une réponse satisfaisante.
Être seule, solitaire, de nombreuses femmes ne le supportent pas. Reçu cinq sur cinq. Pourtant, je persiste et signe : fréquenter un type qui vous enfonce ou vous manque de respect s'avère bien pire.
Les perspectives sont peu encourageantes. Mais ne vous servez pas des statistiques pour sombrer dans la déprime ou la peur. A part vous effrayer, vous et vos copines, ces chiffres sont inutiles. Ma conclusion ? Aux chiottes, les statistiques. Il y va de votre

destin – et vous osez perdre confiance ? Le seul principe qui m'ait jamais aidé, moi, Greg Behrendt, à vivre ma vie à plein, c'est la confiance : je crois en ma bonne fortune. Avec une ferveur plus grande encore, je pense que cette confiance apparaît comme votre unique issue. J'écris ce livre, et des femmes vont le lire, parce que nous en avons tous assez de marcher la peur au ventre. Vous voulez vous convaincre que vous valez mieux que ces couleuvres dont tant d'hommes vous ont gavées au fil des ans, et il n'y a rien de plus vrai : vous êtes une créature formidable, séduisante, digne d'amour, et seul l'amour-propre vous permettra d'atteindre cette certitude. La moindre des choses serait donc de purger votre monde des types qui ne vous méritent pas et de vous imposer des critères d'excellence au quotidien.

Débutons par cette donnée objective : tu es délicieuse. Courage, ma belle. Je sais que la solitude te pèse. Je sais qu'il t'arrive de manquer de compagnie, de sexe et d'amour si fort que tu en souffres dans ta chair. Mais je reste persuadé que connaître un bonheur sans nuage implique, en premier lieu, de **croire** qu'un tel bonheur existe. J'y croirai pour toi jusqu'à ce que tu te sentes prête.

♂ Ce que ça devrait donner en pratique, par Greg

Ma copine Amy ayant une peur bleue des clowns, Russell, son mari, s'assure qu'aucun ne croise jamais son regard ni son chemin. Une telle tâche paraît, somme toute, facile et peu contraignante, tant qu'on ne s'attelle pas vraiment à éviter les hordes de paillasses qui ont envahi notre culture. Plus ardu qu'on ne le pense. Vous seriez stupéfaites d'apprendre combien de clowns traînent en liberté. Mais Russell se dévoue parce que, après dix ans de mariage, il souhaite toujours protéger sa femme des monstres qui l'effrayent.

Greg, j'ai compris ! par Georgia, 33 ans

Je suis sortie avec un type qui se montrait désagréable envers mes amies. Il leur souriait à peine, fuyait leur regard à chaque rencontre et, s'il engageait la conversation, il ne leur posait jamais de questions sur elles. Lorsqu'elles lui parlaient, il lui arrivait de se détourner d'elles au beau milieu d'une phrase. Il n'admettait pas qu'il les méprisait, en revanche son comportement le prouvait assez. D'accord, j'avoue : je n'ai pas rompu pour cette raison ; il a fini par me quitter. Mais avec le recul, je m'en réjouis. Je veux fréquenter un homme charmant qui apprécie mes amies. Je veux faire un jour la connaissance d'un mec dont mes amies pourront dire le lendemain au téléphone : « Oh, il est trop géniaaaal ! »

Si vous ne croyez pas Greg

Un de mes amis refuse de rompre avec sa fiancée parce qu'il a la trouille (oui, l'élégance, ça nous connaît). Quand je le supplie d'arrêter les frais, il rabâche le même argument : « J'attends la dispute ultime, Greg. J'attends juste l'engueulade finale. » Entre-temps il s'en prend à elle, se chamaille avec elle, lui tape sur le système dans l'espoir de provoquer cette « dispute ultime » et d'en finir. Pas joli-joli, comme attitude, mais je table un peu sur l'effet de peur.

100 % des hommes sondés ont affirmé n'avoir jamais cherché à torturer ni humilier une femme dont ils étaient vraiment amoureux.

Bon, c'est déjà ça.

Ce qu'il faut retenir de ce chapitre

- ✓ La vie est bien assez dure comme ça, pas la peine de se coltiner un emmerdeur.
- ✓ Vous méritez un partenaire qui se montre gentil avec vous non-stop (la réciproque est également vraie).
- ✓ Il n'y a aucune raison valable de hurler après quelqu'un, sauf dans une situation de danger imminent.
- ✓ Les cas psychiatriques devraient rester à l'asile, pas squatter votre appartement.
- ✓ Faites de la place dans votre vie pour tous ces grands bonheurs qui vous reviennent de droit.
- ✓ Gardez confiance. Vous voyez une alternative ?

Notre cahier d'exercices super-génial et super-utile

Si vous vivez une relation que vous jugez néfaste sans en être sûre à 100 %, faites cet exercice très simple :

Prenez un magnétophone, racontez-lui l'histoire de votre couple et rembobinez la cassette. Imaginez que vous écoutez votre meilleure amie vous parler d'elle. Que lui conseilleriez-vous ?

Si vous n'arrivez pas à vous convaincre que vous méritez mieux, essayez au moins de vous fier à l'une de vos copines qui, elle, en est persuadée... juste le temps de déguerpir sans demander votre reste.

12

N'écoutez pas ces histoires

Oui, certaines histoires circulent. Celle du type harcelé par une fille – qui devient l'amour de sa vie. Tel autre a traité comme un chien la fille avec qui il lui arrivait de s'envoyer en l'air, mais elle ne l'a pas lâché – maintenant c'est un époux et un père modèles. Celui-là a laissé tomber la fille avec laquelle il a couché un mois durant, avant de la rappeler – à présent ils vivent un vrai conte de fées. Telle folle a eu une liaison avec un homme marié qu'elle a fini par épouser – depuis ils nagent dans le bonheur.

Nous vous défendons d'écouter ces histoires. Elles ne vous aident en rien ; elles sont l'exception à la règle. Et nous voulons que vous vous considériez comme la règle, car c'est vous prendre pour l'exception qui vous a mise dans le pétrin en premier lieu. Demandez à vos amies de garder leurs histoires pour elles. Si vous entendez parler de cette anecdote où la femme fréquentait un salaud mais où tout est bien qui finit bien, bouchez-vous les oreilles et chantez à tue-tête « la la la laaaa ! ».

Vous êtes exceptionnelle, mais pas l'exception !

13

Alors, que faire ?

Très bien. Nous venons de saccager votre vie privée, nous l'admettons volontiers. Si toutes les femmes mentionnées dans ce bouquin écoutaient nos conseils, on engrangerait dès à présent une nouvelle moisson de célibataires. Il semble donc de notre devoir d'explorer ce qu'il convient de faire **après** la rupture.

Nous ne sommes pas psys, ni fanas du chouchoutage (spécialement Liz), donc nous n'allons pas vous barber avec les bougies, les bains moussants, les fleurs qu'il faut vous faire livrer à vous-même. Nous pouvons tout de même vous demander de faire l'effort d'apprécier – rien qu'un chouia – le bonheur de ne plus fréquenter un homme qui ne vous méritait pas. Sentez-vous le soulagement vous envahir ? En y réfléchissant bien, trouver des excuses, s'efforcer de « cerner » quelqu'un bouffe une énergie incroyable. Songez au temps que vous allez pouvoir consacrer à plein d'autres activités positives - et ne plus penser à lui nuit et jour. Rompre n'a rien d'une partie de plaisir, même avec un type que vous n'avez qu'assez peu fréquenté. Il vous avait peut-être séduite, l'avenir s'annonçait peut-être prometteur, mais déclarer en toute lucidité « Il n'était pas vraiment amoureux de moi, point » procure un réel sentiment de puissance. Vous imaginez plus tard ? Rien ne pourra vous arrêter !

On peut faire des millions de choses après une rupture : du yoga, un stage de développement personnel, un meurtre... ce qui vous occupe ne regarde que vous. Mais vous allez devoir affronter la douleur, vous allez devoir l'endurer, et au final vous allez lui tordre le cou. Avec ce livre, nous vous aidons à procéder de manière différente par la suite. Et, pour cela, nous recommandons de vous fixer quelques règles.

Imposez-vous de nouvelles règles

Évidemment vous vous dites : « Mais je m'en impose, des règles. » Si ces règles vous ont amenée à acheter ce bouquin, alors relevons-les d'un cran. Établissons un niveau d'exigence décent. Désignons vous seule responsable de ce qui se produira la prochaine fois – vous demandez : « Et s'il n'y a pas de prochaine fois ? », nous répondons : « Balancez vos idées noires dans la cale d'un navire qui ira se perdre dans le triangle des Bermudes. »

Une règle sert à tracer la limite entre ce que vous jugerez tolérable ou non. En décidant vous-même de cette limite, vous pouvez inventer la personne que vous voulez devenir, et les nouvelles exigences qui seront les vôtres. Notez-les par écrit pour ne jamais céder à la tentation, et ce malgré son charme irrésistible ou votre envie dévorante de faire l'amour (ok, il faut l'avouer, certains exos étaient un peu stupides, mais pour celui-là nous sommes sérieux). Assurez-vous de connaître par cœur votre seuil de tolérance et vos principes.

Et parce qu'à l'évidence nous nous y connaissons mieux que vous (c'est vrai, qui a signé un contrat pour écrire un livre, vous ou nous ?), nous allons vous soumettre des suggestions de critères.

Suggestions de critères

Je ne fréquenterai pas d'homme qui n'a pas proposé un rendez-vous le premier

Je ne fréquenterai pas d'homme qui me fait poireauter près du téléphone

Je ne fréquenterai pas d'homme qui n'est pas sûr de vouloir sortir avec moi

Je ne fréquenterai pas d'homme qui donne l'impression de ne pas avoir envie de moi

Je ne fréquenterai pas d'homme dont la consommation d'alcool ou de drogue me met mal à l'aise

Je ne fréquenterai pas d'homme qui tremble d'envisager un avenir commun

Je ne consacrerai sous aucun prétexte mon temps à un homme qui m'a déjà rejetée

Je ne fréquenterai pas d'homme marié

Je ne fréquenterai pas d'homme qui ne se montre pas, sans ambiguïté, bienveillant, gentil, aimant

A votre tour. Vous seules savez quelles règles vous voulez vous imposer. Listez-les. Et ne les oubliez pas.

Règles super-utiles que jamais je n'oublierai ni ne rejetterai, même si je le trouve sensas :

1.
2.
3.
4.
5.
6.
7.
8.
9.
10.

Glossaire

A présent que vous vous êtes fixé des règles, nous tenons à ce que vous les observiez. Ceux qui conseillent de prendre garde aux signaux d'alerte expliquent rarement en quoi consistent ces signaux. Voilà pourquoi nous avons rédigé un glossaire bien pratique qui recense les termes, mots et expressions en apparence innocents qu'un homme emploie le plus souvent pour dire : « Je ne suis pas vraiment amoureux de toi. »

	Ce qu'il devrait dire :	Ce qu'il veut dire (en fait) :
Ami	Jamais je ne te causerai de peine délibérément	Je ne suis pas vraiment amoureux de toi
Occupé	Aujourd'hui j'ai été investi président des États-Unis	Je ne suis pas vraiment amoureux de toi
Mauvais garçon	Type à fuir comme la peste	Type à fuir comme la peste
Je ne suis pas prêt	Je ne trouve pas mon pantalon	Je ne suis pas vraiment amoureux de toi
Appelle-moi	Je viens de lâcher mon portable dans l'océan et j'ai perdu ton numéro	Je ne suis pas vraiment amoureux de toi
Pas branché famille	Je ne veux pas sortir avec ta mère	Je ne suis pas vraiment amoureux de toi
Peur de l'intimité	Peur d'être intime	Je ne suis pas vraiment amoureux de toi

14

Questions-réponses, entretien avec Greg

Je me rends compte que certaines de ces idées sont novatrices et pas faciles à digérer. Voilà pourquoi je pense que Greg nous doit encore quelques explications, histoire que personne ne referme ce livre sur des malentendus. D'accord, je ne vais pas mentir : j'ai besoin que Greg éclaircisse un ou deux points... pour ma pomme. Certaines de ces idées sont **vraiment** difficiles à digérer...

Liz

1. Sérieusement, Greg, tu es sûr que je ne peux pas faire le premier pas ? Les mecs me trouvent inti-

midante. Je devrais avoir le droit de leur filer un coup de main.

Dans la vie, ce que nous désirons le plus est souvent intimidant, et c'est ce qui donne tout son piquant à l'affaire. Tu as vraiment du temps à consacrer à un type incapable de t'inviter à prendre un café tellement il a peur de toi ?

2. Greg, tu es vraiment sûr qu'il y a autant de super-mecs disponibles, et que je peux donc jeter tous les moins-que-super sans regret ?

Je ne sais pas quoi répondre, à part qu'une relation satisfaisante apporte beaucoup plus qu'une relation ratée, et que tu n'en vivras jamais de convenable si tu restes scotchée à Monsieur Dégueu Ier. Toi seule peux juger de son degré de nocivité. Un indice fiable : quand tu restes avec Dégueu Ier uniquement par peur.

3. Et si je préfère me retrouver avec un homme qui n'est pas vraiment amoureux plutôt que seule ?

Je comprends. Tu peux être au trente-sixième dessous et seule. Ou au trente-sixième dessous et avoir au moins quelqu'un avec qui passer tes vacances.

Pigé. Mais il y a un léger hic : les deux options rendent inévitable la bonne vieille déprime. En restant en compagnie du pauvre type pas vraiment amoureux, tu t'assures de ne jamais trouver celui qui le sera. Je te conseille, ce qui ne surprendra personne, de prendre le risque de fêter Noël en solo, de te sentir peut-être délaissée quelque temps, mais comprends que ce sera tout bénéf' pour toi à la fin.

4. Greg, tu penses vraiment qu'il y a beaucoup de mecs capables de se montrer aussi aimants que je le mérite ?
Oui, oui, mille fois oui. Autrement je n'écrirais pas ce livre.

5. Greg, tu expliques que je ne dois pas adresser la parole à mon ex à moins qu'il ne me supplie de renouer. Ensuite tu déclares qu'il faut se méfier des types qui veulent renouer après avoir rompu. Alors ?
Eh bien, en premier lieu, je veux que tu saisisses la différence entre un ex auquel tu manques vaguement et qui souhaite tirer un coup, et un homme qui s'est rendu compte de son erreur et dont les intentions sont sérieuses. Mais, même dans ce cas,

je pense que tu dois faire preuve de prudence et mettre vraiment en doute ses motivations. J'exige aussi que tu restes à l'écart de tout minable qui se fait un malin plaisir de rompre de manière régulière.

6. Penses-tu qu'un mauvais garçon peut changer du tout au tout au sein d'un couple ?
J'hésite à dire ceci à quelqu'un qui vit peut-être une situation difficile et me demande de la valider : je crois que tout est possible. Cependant, l'expérience m'a montré que les hommes, dans leur immense majorite, ne changent pas, et ceux que j'ai vus changer ne s'amendaient qu'à l'occasion de nouvelles rencontres.

7. Et si je ne suis attirée que par des types pas vraiment amoureux de moi ?
D'accord, tu as donc cette étrange particularité de pouvoir flairer les hommes qui se révéleront, tout compte fait, indisponibles sur le plan des sentiments. Nous pouvons parler de tes priorités, des raisons pour lesquelles ces types t'attirent. Et nous pouvons aussi, sans plus attendre, revoir à la baisse le temps que tu leur consacres une fois consciente

qu'ils ne sont pas vraiment fous de toi. De nombreux hommes plus ou moins nets vont se précipiter. Choisir, c'est maîtriser la situation. D'entrée de jeu.

8. Allez, Greg, reconnais qu'un type a parfois de bonnes raisons de ne pas pouvoir s'investir dans une relation sérieuse. Ça ne signifie pas forcément qu'il ne tient pas à moi.
Peut-être bien qu'oui, peut-être bien qu'non. Une seule chose à retenir : Pas Vraiment Emballé est l'exacte réplique de Pas Vraiment Amoureux. Aucun des deux ne veut te fréquenter. L'un raconte qu'il ne peut pas, mais le résultat est le même qu'avec l'autre : il te fausse compagnie. Ne te laisse pas embrouiller par ses problèmes personnels, ne l'attends pas. Il ne sera jamais vraiment amoureux de toi – et tu mérites mieux.

9. Tu sembles fasciné par les femmes en sous-vêtements. Un commentaire ?
A mon avis, il n'y a rien de plus sexy qu'une femme en petite tenue. Fais-moi un procès !

15

Dernières observations, par Greg

Ne laissez pas filer le meilleur

Un soir, je bavardais avec une jeune femme que je venais de rencontrer à Austin, au Texas. La pauvre me racontait son problème de mec, rien de très original. Un de ses collègues de travail avait sorti l'artillerie lourde pour la séduire. Ils avaient couché ensemble dès le premier soir, puis le type avait disparu. Au figuré, s'entend.

Il ne s'était tiré nulle part et tous deux se voyaient toujours, mais l'homme dont elle avait fait la connaissance était parti – remplacé par un lourdaud au regard fuyant, de mauvaise humeur, fatigué, qui rechignait aux parties de jambes en l'air à moins d'être complètement beurré et n'organisait aucun rendez-vous. Oh, il répétait aussi qu'elle était la fille la plus formidable qu'il ait jamais fréquentée, qu'il n'avait jamais rien ressenti de comparable et (vous l'avez deviné) qu'il avait peur. J'avais presque envie de rencontrer ce spécimen afin de le mettre sous verre et de l'exhiber aux quatre coins du pays avec une pancarte : « VOILÀ LE NUL CONTRE LEQUEL ON VOUS A MISES EN GARDE. PAS TOUCHE ! »

Surexcité, je lui ai révélé notre théorie inédite en me disant : « Elle va être soufflée comme les filles de **Sex and the City** et s'engager sur une voie nouvelle, celle du bonheur. » Pourtant, tandis que je sortais ma science, j'ai perçu chez elle une certaine tension.

« Comment peux-tu être certain que je vais rencontrer quelqu'un d'autre ? a-t-elle demandé.

– Je ne suis certain de rien. Simplement, je ne vois pas l'intérêt de t'impliquer dans une relation qui semble néfaste et indigne de toi. Tu es super-sympa, très mignonne... »

Elle m'a coupé la parole en me hurlant presque dessus : « Mais tu ne me connais pas ! Comment tu peux affirmer que je vais trouver mieux ? On vient à peine de se rencontrer ! Et pourquoi t'en préoccuper, d'abord ? »

Ouille ! Ça m'a remis d'un coup à ma place. Je suis

resté un instant frappé de stupeur avant que ma mission me revienne en mémoire, et je lui ai donc dit ce que je vous dirais à vous : « Pas besoin de te connaître pour estimer que toi, au moins, tu devrais en être convaincue. »

Et pourquoi m'en préoccuper ? Ou mieux encore, qui suis-je pour jouer le donneur de conseils ? En tant qu'ancien célibataire ayant moi aussi recouru à de lamentables excuses, je n'ignore rien du comportement de ces types. Rencontrer ma femme, Amiira, m'a fait devenir un tout autre homme : je me pointais aux rendez-vous, je réglais mon pas sur le sien, avec joie par-dessus le marché, car désormais, je crois en l'amour avec un grand A. Je suis convaincu que je dois exprimer sans relâche, par mes gestes et mes paroles, mon amour à la femme que j'aime. Et pourquoi me préoccuper de vous ? Parce que j'ai une sœur et plein d'amies que j'adore, malgré leur réticence à reconnaître les signes annonciateurs d'une relation pourrie. Parce que j'ai une sœur **formidable** et un tas d'amies **merveilleuses**, trop vulnérables pour admettre qu'elles méritent mieux et qu'elles ne trouveront mieux qu'une fois déchargées du poids mort d'un prétendant peu ou prou à la hauteur. Parce que j'ai une sœur **incroyable** et un tas d'amies **épatantes** qui n'acceptent pas encore le véritable amour comme un sentiment édifiant, joyeux, exaltant, grisant, qui se résignent à toujours se contenter de moins. Les relations foireuses vous enfoncent : laissez tomber le rôle de souffre-douleur.

Au-delà du point de vue amusant et des réponses marrantes à vos lettres, le concept « Il ne vous mérite pas » peut produire un effet transcendant, magique. S'il vous aide à vous libérer d'une relation malsaine, mission accomplie. Et, ne nous leurrons pas, vous seule êtes en mesure de dire stop. Je ne prétends pas savoir comment vous retaper, par contre je sais identifier le problème, je sais que vous méritez des histoires d'amour formidables et une vie épanouie. Je vous trouve belle et, en votre for intérieur, vous pensez de même, autrement vous n'auriez pas le nez dans ce livre. La vie est, selon moi, un don prodigieux mais éphémère, alors ne laissez rien filer. Si vous lisez ces lignes, c'est que vous voulez mieux. Et si vous lisez ces lignes, moi aussi je veux mieux pour vous.

Greg

16

Dernières observations, par Liz

Ce que Greg peut être énervant

Oui, il vous agace. Ça ne m'étonne pas. Je travaille avec lui, et même pendant la rédaction de ce livre, il s'est payé le luxe de briser mes espoirs et mes rêves sur des hommes qui m'avaient tapé dans l'œil. Personne ne trouve grâce à ses yeux. Impossible de satisfaire Greg, avec ses fichues exigences. Pour qui il se prend ? Mon copain m'appelle lundi, pas dimanche comme il l'avait promis, et alors ? Où est le problème, Greg ? Bon sang, quelle journée horrible ! Avec tes prétentions aberrantes, Greg, je vais trouver chaussure à mon pied, disons, tous les huit ans.

En plus, il est intransigeant. J'ignore ce que je ferais si j'étais mariée depuis quinze ans, et que le père de mes trois enfants me trompait. Greg, lui, sait. L'intransigeance personnifiée.

Je suis pessimiste de nature, et son optimisme à tout crin m'irrite au plus haut point. L'entendre raconter que chacune trouvera le grand amour – à la seule condition d'y croire, d'avoir la foi – me porte sur les nerfs. J'ai du mal à avaler ça. Moi, je pense que certaines filles célibataires, de celles qui sont prêtes à accueillir l'amour dans leur vie, vont mourir d'un cancer ou se faire écraser par une voiture, ou bien ne rencontreront jamais l'homme idéal et laisseront peut-être tomber (voilà pourquoi ce n'est pas moi qui réponds à toutes vos questions !).

Je sais aussi que je me sens parfois très seule. Et Greg, lui, est marié depuis plus de cinq ans. La notion de solitude lui est inconnue. Facile, pas vrai, de rester bien au chaud avec sa chérie tout en me conseillant de ne pas baisser les bras, de fureter jusqu'à tomber sur le bon. Les Saint-Valentin de monsieur sont réservées à vie.

Je pense pourtant qu'il a raison – la plupart du temps –, et c'est là que le bât blesse. Greg se présente comme le grand frère que nous devrions toutes avoir dans notre vie (et dans notre tête). Il réclame

des hommes une conduite encore plus exemplaire que celle que nous souhaitons. Nous avons été conditionnées à ne pas attendre grand-chose d'eux, à ne paraître ni exigeantes ni capricieuses.
Que se passerait-il si toutes les femmes du monde suivaient ses recommandations, si toutes ensemble nous décidions d'inciter les mecs à tenir parole, à nous traiter avec respect, à nous combler d'amour et d'affection ? A mon avis, le nombre de types bien sous tous rapports augmenterait en flèche. Soit dit en passant.
Quant à sa conception du monde, je peux vous présenter des arguments massues appuyés par des statistiques, des organigrammes, des graphiques, pour prouver que mon pessimisme est justifié. Cela me rendra-t-il plus heureuse pour autant ? Voilà où j'en suis, à quarante et un ans et toujours célibataire. Quels sont les points de vue, les attitudes susceptibles de me rendre la vie plus belle ? Je suis assez intelligente comme ça. A présent j'ai besoin d'une dose quotidienne de bonheur.
Il y a fort à parier que vous, vous qui lisez ce guide, avez passé trop de temps avec des types égoïstes – ce qui signifie que vous auriez bien besoin de la voix de Greg à demeure sous votre crâne. Quelle

femme, à vrai dire, pourrait se priver d'un homme lui déclarant au creux de l'oreille qu'il la trouve brillante, inestimable, sublime, qu'elle mérite d'obtenir tout ce qu'elle désire ? Aucune. La société nous abreuve d'une quantité de messages contraires, et je pense que Greg nous hurle dessus à pleins poumons pour couvrir en partie ce brouhaha.

J'espère que ce livre vous a été utile. J'espère qu'il vous a fait rire (un peu), lorsque vous vous êtes reconnue dans les portraits tracés. Et j'espère que vous trouverez l'amour, un amour exceptionnel, exaltant, florissant, à la hauteur de vos plus beaux rêves.

Avec peut-être quelques surprises en prime, juste pour le fun.

Liz

Remerciements

Sans le concours de certaines personnes, ce livre n'aurait jamais vu le jour. Avant toute chose, il nous faut remercier les occupants suprêmement talentueux du QG des scénaristes de **Sex and the City**. Il s'agit de Cindy Chupack, Jenny Bicks, Amy B. Harris, Julia Sweeney, Julie Rottenberg, Elisa Zuritsky (qui ont signé ensemble cet épisode sensationnel qui a porté la bonne parole du « Il te mérite pas » au monde entier) et, bien entendu, notre chef, le formidable Michael Patrick King. Qu'ils reçoivent ici toute notre amitié et notre plus sincère reconnaissance pour leur soutien, leur générosité et leur prodigieuse drôlerie.

Nous souhaitons remercier ceux qui ont encouragé

cette idée folle dès le départ : John Melfi, Sarah Condon, Richard Oren, et tous les autres à HBO qui se sont collés au boulot à nos côtés. A ICM, Greg Cavic, ami et agent génial, n'a pas ménagé sa peine, et un grand merci à Julie James qui relançait la machine aussi souvent que nécessaire. Notre gratitude absolue va à Andy Barzvi, notre agent, le premier à prendre ce livre à cœur et à le défendre avec un succès jamais démenti. Mille mercis à Patrick Price, notre éditeur, gentleman et érudit par excellence.

Merci aux hommes et aux femmes qui ont bien voulu répondre à nos questionnaires, nous raconter leurs histoires, nous poser des questions et nous maintenir dans la bonne voie. Nous remercions nos amis et nos familles respectives pour leurs exhortations enthousiastes, avec une mention particulière pour Shirley Tuccillo et Kirsten Behrendt.

Last but not least, comment oublier Amiira Ruotola Behrendt, dont la collaboration, la fougue, l'humour, le talent, l'amour et la personnalité extraordinairement sexy ont permis à ce bouquin de casser la baraque.

Table

Composition IGS
Impression CPI Bussière en janvier 2009
à Saint-Amand-Montrond (Cher)
Editions Albin Michel
22, rue Huyghens, 75014 Paris
www.albin-michel.fr
ISBN 978-2-226-15871-0
N° d'édition : 25668. – N° d'impression : 090089/1.
Dépôt légal : mai 2005.
Imprimé en France.